Recetas del alma

Maytte

RECETAS DEL ALMA

Bogotá, D.C., - Abril de 2003
Segunda Edición Junio de 2003
ISBN 958-8184-37-1

Editado por:
Centauro Prosperar Editorial Ltda
Calle 39 No. 28-20
Tels: 3684932 - 3684938
Fax: 3681862
Línea 018000911654
e-mail: marybel@prosperar.com
www.prosperar.com
Bogotá - Colombia

EDITOR: Gustavo Nieto Roa
EDITORAS ASISTENTES: Zenaida Pineda R.
Marybel Arias García
CARÁTULA: Diana Sánchez
ARTE Y DIAGRAMACIÓN: Victoria E. Peters R.
CORRECCIÓN: Luis H. Nemes
IMPRESIÓN: Editorial Carrera 7a. Ltda.

Made in Colombia

Gracias al Señor Dios y a la Virgen por la vida,
por la inspiración y la oportunidad de compartirla contigo...

Gracias a Daniel, por ser mi gran socio
y compañero en la empresa de la vida.

A mis hijas, por motivar mi reflexión...

Gracias a ti, por leerlas...

Contenido

Prólogo

¿A quien no le gusta disfrutar de un delicioso plato de comida que lo deje maravillado por sus exquisitos sabores? La respuesta es fácil: a todos. Más no es fácil encontrar esos platos. De hecho, la mayoría de la gente se conforma con una comida muy ordinaria, que simplemente satisface su hambre, pero que no le produce verdadero placer.

Hay gente famosa y admirada por su habilidad de preparar platos exquisitos, como los "chefs" de prestigiosos restaurantes. Sus recetas exclusivas producen sabores inigualables. Muchos tratan de copiarlos, pero muy pocos lo logran. El secreto está en tener la receta, pues ésta dice qué ingredientes se necesitan, cómo mezclarlos, en qué medidas y por cuánto tiempo se deben dejar al fuego.

Lo mismo sucede con la vida. Mucha gente vive quejándose de una vida rutinaria, llena de problemas ya sean económicos, de salud o no logran el éxito emocional y profesional que quisieran tener. Es decir, no consiguen disfrutar de las oportunidades que les brinda la vida para ser felices y exitosos. Todo porque desconocen las recetas que pueden hacer que sus vidas sean como esos platos deliciosos y especiales.

Las circunstancias de la vida hacen que alguna vez todos tengamos que poner a prueba nuestras habilidades como cocineros, pero muy pocos salimos airosos a no ser que tengamos a nuestra disposición una receta clara. Con ésta, muy seguramente lograremos impresionar a los demás con nuestras habilidades culinarias, para nuestro beneplácito y el de ellos.

En este libro que orgullosamente presentamos, Maytte nos da una serie de recetas, que aplicadas a nuestra vida, nos permite hacer de ella algo así como un plato con todos esos ingredientes que le dan un sabor exquisito como son el amor, la paz, la riqueza espiritual y material que irradiamos y que son apenas un reflejo de lo felices y contentos que estamos con la vida.

Como veremos al leer con cuidado *Recetas del Alma,* la vida es mucho más fácil de lo que aparenta; de la misma manera que saber cocinar con destreza y buen gusto es muy fácil si tenemos las recetas apropiadas y seguimos las indicaciones. No es lo mismo preparar sopas que carnes, o pescados, o ensaladas. Para satisfacer nuestro paladar no basta con un plato. Es la combinación de varios, lo que hace que nos sintamos plenamente satisfechos al comer. Igual pasa con la vida. No basta solo con estar bien económicamente, sino que necesitamos de salud, amor, éxito en el trabajo y muchas otras cosas. Pues bien, para todo ello, Maytte nos entrega una receta con las indicaciones exactas de cómo debemos proceder para tener los resultados que esperamos. Es cuestión de estar dispuestos a seguir sus indicaciones y sugerencias.

Puede ser que ya conozcamos las recetas que Maytte nos indica aquí, pero es bueno volver a recordarlas. Por ejemplo, hay una muy sencilla que la autora nos menciona. Es la regla de oro que aprendemos desde niños, pero que la gente olvida constantemente. Si la tuviera presente y la aplicara todo el tiempo, nuestro transitar por este planeta Tierra sería mucho más feliz, sin la guerra y la violencia que nos agobia constantemente. Es la receta que dice "No le hagas otro, lo que no te gustaría que te hicieran".

Bienvenidos a este libro de *Recetas del Alma* que, puestas en práctica hacen que nuestras vidas sean como esos platos exquisitos que solo unos pocos "chefs" pueden preparar.

GUSTAVO NIETO ROA.

Introducción

En estas páginas encontrarás reflexiones, recetas y sugerencias que te ayudarán a recuperar la claridad mental, el balance emocional y la motivación necesaria para despertar al significado de la vida. Descubrirás ideas conocidas, palabras semejantes e inclusive vivencias, que te recordarán tu propia experiencia, te sentirás renovado y acompañado no sólo por mis palabras sino por el espíritu de lo divino que habita dentro de ti, en todo momento. Hace muchos años, que tú y yo iniciamos el recorrido del sendero hacia la realización y cada día representa la oportunidad de acercarnos a ella, mientras obtenemos la madurez esencial y la conciencia que nos lleve a simplificar nuestra vida para resaltar el valor de lo esencial.

Es un mensaje desde el corazón, que sólo pretende conectar con el tuyo para despertar tu verdad interior... y que sea ella, quien internamente oriente tus pasos hacia la consecución de tu realización.

Recuerda que el sendero se inicia dentro de ti, que deberás recorrerlo solo, a pesar de que la vida te conceda el regalo de compartirlo con alguien especial por tramos, que todo lo que ocurre afuera pretende llevarte a una reflexión interna, que lo más importante de este recorrido, es que puedas poner en practica las verdades sencillas que recuerdas o que descubres a lo largo del camino, que el abrirte a compartir e intercambiar con otros en un momento dado, te ofrece la oportunidad de revisar, reafirmar o cambiar a tiempo, de evitarte el dolor, alguna creencia, consideración o punto de vista negativo, que la fe, el amor incondicional y la entrega son tu refugio en tiempos de crisis. Por último, lo más importante, el propósito de la vida es que seamos felices.

Lee varias veces la misma página, para que más allá de mis palabras escuches tus pensamientos y sólo pasa al próximo capítulo después de haber resaltado alguna frase que resuma para ti, la importancia del mismo. Te sugiero que vayas más allá y la escribas en tu agenda personal, esa que revisas cada día para recordar los compromisos contigo mismo y con la vida de ser mejor en alguna medida cada día. Serán tus reacciones y tu comportamiento en los momentos difíciles los que te darán la medida para reconocer tu verdadera transformación.

La vida es bella y bien vale la pena vivirla!

Adelante y que la Divinidad ilumine y guíe siempre tus pasos, para que no equivoques el camino.

Disfruta del tiempo

Generalmente tenemos tiempo para los deberes, los pendientes, las responsabilidades y para los demás. El tiempo se nos va a una gran velocidad...

Vivimos abrumados, angustiados, preocupados, estresados y acelerados a causa del tiempo...

Necesitamos otro ritmo de vida para recuperar la calidad de nuestras vidas!

Hoy voy a compartir contigo algunas formulitas que estoy segura te servirán para manejar tu tiempo y evitar que sea él, quien te maneje a ti..

¿Qué hacer?

Receta 1. *Concéntrate en lo importante.* Pregúntate al comenzar el día: ¿Qué voy a hacer hoy para acercarme a mi meta? No le permitas a tu mente dispersar tu atención; muchas veces nuestra mente nos lleva atrás, o al futuro haciendo que quitemos nuestra atención del presente y entremos en angustia o en apatía.

Receta 2. *No distraigas tu atención de aquello que te propusiste hacer o realizar.* Si aparecieran en tu panorama nuevas y más excitantes posibilidades, anótalas y dedícales otro momento. Ten un objetivo y no te distraigas.

Receta 3. *Ordena tus pendientes, placeres y responsabilidades por prioridades.* Si no tienes ordenados tus pendientes por prioridades, es posible que te encuentres haciendo cosas poco importantes o que pudieses hacer después... sin ocuparte de aquellas que sí son determinantes, para descubrir al final, que no lograste tus metas del día.

Receta 4. *Haz una lista cada noche.* Antes de acostarte, realiza un inventario de los pendientes más importantes, ordénalos por prioridad y dale un tiempo real a cada uno, de manera que sin sentirte superhombre o supermujer, puedas tener la satisfacción de cumplir con ellos.

Receta 5. *Siempre tómate unos minutos para ordenar tus ideas antes de actuar.* Tómate una respiración lenta y profunda y relájate. Desacelerarte un poco antes de actuar, te evitará cometer errores y seguramente te permitirá ser más efectivo y menos agresivo. ¡Respira... piensa y actúa!

Receta 6. *Evita postergar.* Es posible que tengas el hábito de dejar las cosas que consideras pequeñas para después..., o tal vez sean las cosas difíciles o las que te causan temor las que postergues. En cualquiera de estos casos, es importante que tomes la decisión de enfrentar y hacer aquellas cosas que en el momento tienes al frente por resolver. Recuerda que son muchas veces las cosas que postergas las que en el momento más inesperado te pesan, te angustian y se convierten en urgentes.

Sugerencias:

- *Considera siempre el tiempo que te tomará organizarte para comenzar una actividad...*
- *Si das el primer paso, hazlo sin rodeos... Y te sorprenderá la rapidez con que terminarás*
- *A veces los perfeccionistas pierden tanto tiempo como las personas que tienden a dejar las cosas para después... Por esto, es muy importante saber siempre cuándo terminar; de lo contrario te tomará mucho más del tiempo que en realidad puedes usar, haciendo que te atrases con lo demás...*
- *Todos nos hemos encontrado alguna vez en alguna situación en la que sabemos que se nos está haciendo tarde y no podemos cortar con una conversación, sin sentir que herimos u ofendemos a la persona...*
- *Algunas veces te invitan a hacer algo que no quieres, o tal vez ya tienes un compromiso previo, aprende a decir: me encantaría pero no puedo en está ocasión, gracias!*
- *Aprovecha los momentos de menor actividad para hacer las cosas y de esta manera ahorras tiempo...*
- *Evita dejar para última hora.*
- *Compra los regalos navideños un par de meses antes....*
- *Aprende a considerar el costo real de obtener las cosas antes que el precio...*

- *A menudo la gente ahorra centavos y despilfarra el tiempo...*
- *Practica el mantener orden en tu vida y esto te dará ahorro en el tiempo.*
- *Ahorra tiempo para disfrutar más con los tuyos...*

"No pierdas el tiempo, pues es la materia de la que está hecha la vida".

Compartiendo la razón

Es posible que hayas experimentado más de una vez el deseo de tener la razón en una discusión, en un debate o simplemente en alguna conversación para llegar a acuerdos con tu pareja o con tus amigos y que en el fondo lo que busques con la razón, sólo sea reafirmarte en tus creencias o ideas para fortalecer la confianza en ti mismo a través de la aceptación por parte de esas personas acerca de tus juicios o consideraciones. Podríamos decir que no tienes mala intención... Pero generalmente lo que ocurre es que luchas por tener la razón aun a costa de la razón del otro... Esto trae como consecuencias, competencia, peleas, desavenencias, distancia, separaciones o incomunicación.

Lo primero que tenemos que saber, es que todos tenemos parcialmente la razón frente a una situación o a un planteamiento, pues depende de nuestros diferentes puntos de vista o de nuestras diferentes consideraciones al respecto. Partiendo de este punto... Te invito a reflexionar acerca de los motivos que te llevan a desear tenerla para ti solo con mucha frecuencia en lugar de compartirla con los demás.

¿CÓMO PODEMOS COMPARTIRLA CON LOS DEMÁS?

Receta 1. *No emplees la lógica para intimidar a los demás.* Recuerda que el obtener la aprobación por parte del otro acerca de nuestro planteamiento basados en la fuerza o en la manipulación, nos da una razón ficticia.

Receta 2. *Otorga a los demás la libertad de ser ellos mismos.* Permitirle a otros expresar sus puntos de vista en una conversación y dejar el margen para los diferentes planteamientos o consideraciones. Hacerlo, facilitará el entendimiento y la búsqueda en conjunto de lo mejor para todos.

Receta 3. *Brinda cordialmente tus razones.* A veces el expresar nuestros argumentos sin agredir a otros, con nuestras palabras o expresiones aun cuando lo hagamos con firmeza, propiciará la comunicación y el entendimiento entre las partes.

Receta 4. *Evita resaltar los errores de los demás para hacer triunfar tus criterios.* Equivocarnos es de humanos y esto no significa que perdamos el criterio o la capacidad de ser asertivos en otras áreas o circunstancias de nuestra vida.. Construir nuestra seguridad sobre la descalificación de otros, hará que nuestro edificio se derrumbe fácilmente en cualquier momento.

Receta 5. *Concédele la razón a tus seres queridos de vez en cuando.* La próxima vez que te encuentres en una situación de incomunicación que se repita con frecuencia entre tú y algún ser querido, antes de justificarte, defenderte o agredirlo, prueba decirle a la otra persona desde tu corazón: Sabes, tal vez tengas razón... Dame tiempo para pensarlo, gracias por tu observación... En realidad, lo más importante en una discusión, es llegar a la solución o a establecer acuerdos.

Sugerencias:

- *La próxima vez que discutas con tu pareja acerca de algo por definir, guarda silencio y escucha con atención su planteamiento hasta el final, aun cuando pienses que eres tú quien está en lo cierto.*
- *De vez en cuando permítele al otro resolver una situación a su manera, aun cuando pienses que tú lo harías mejor.*
- *Practica escuchar los planteamientos diferentes de otros acerca de un tema que tú manejas, sin sentirte agredido.*
- *La próxima vez que te encuentres en una situación de incomunicación que se repite con frecuencia entre tú y algún ser querido, antes de justificarte, defenderte o agredirlo, prueba decirle al otro desde tu corazón: sabes, tal vez tengas razón... Dame tiempo para pensarlo, o para revisarlo, gracias por tu observación.*
- *Como padre, practica abrirte mentalmente para escuchar los planteamientos de tus hijos y evita callarlos con frases como: ya se lo que me vas a decir, yo sé más que tú, no sabes lo que dices. Tal vez descubras dentro de*

él o ella, una mente madura y ordenada que te sorprenda con la lógica de su argumento aunque sea diferente de tus procesos.

- *Querer tener siempre la razón, aun cuando lo que te motive sea el cuidar y proteger a otros de su ignorancia o falta de experiencia, puede resultar un peso difícil de cargar... Cuando nos sentimos seguros y confiados de la verdad y la información en la que nos apoyamos para vivir como lo hacemos, no necesitamos que otros nos aprueben o reconozcan por lo que sabemos, no importa que seas más o menos que ellos.*

"¡La razón no es del que la tiene sino del que la necesita! Muchas veces es más conveniente compartir la razón y alcanzar un entendimiento que nos permita vivir en armonía con otros".

Ser auténtico

Vivir de apariencias nos empuja a comportarnos como no somos. Hace que optemos por ponernos un disfraz o muchas máscaras, cambiándolas de acuerdo a la ocasión o a la persona con quien nos encontremos. Al final, sólo tendremos cansancio y la sensación de un gran vacío existencial.

Vivir con honestidad, en cambio, implica que aceptas y asumes tu identidad para expresarla o mejorarla si fuese necesario. También implica ser tú mismo, con la seguridad y la confianza de entregar a otros lo mejor de ti sin aparentar lo que no eres, sin el deseo de ser aprobado o recompensado para sentirte bien... Al mismo tiempo te ofrece la posibilidad de vivir el presente, sin tener que cuidarte de lo que dijiste o hiciste diferente en otro momento.

Vivir con la verdad, hará que podamos recuperar la confianza en el ser humano.

Decide liberarte del esfuerzo extra que significa mantener una fantasía como si fuese realidad y de la soledad que genera sostener y justificar una mentira... En realidad, te mereces la libertad de ser tú mismo.

¿CÓMO SER YO MISMO?

Receta 1. *Atrévete a ser genuino.* Comienza por expresar sin temor lo que piensas, sientes o quieres. Especialmente en compañía de las personas que quieres y que te quieren. Hazlo con suavidad y sin querer agredir a otros y encuentra las palabras adecuadas para expresarte.

Receta 2. *Supera el temor a ser desaprobado.* Es posible que detrás de tu máscara se esconda el temor a ser descalificado o rechazado por otros. Fortalecer la seguridad y confianza en tus capacidades y talentos te dará el valor que necesitas para atreverte a ser tú mismo.

Receta 3. *Reúnete con personas que te aprecien por lo que eres y no por lo que haces o tienes.* Es bueno abrir las puertas de nuestra vida a nuevas personas con las que podamos iniciar una relación de amistad sincera, que nos permita actuar con naturalidad y simpatía, de manera que los lazos se fortalezcan por la afinidad y el afecto que surgen a través de la amistad compartida.

Receta 4. *Elabora una tarjeta suficientemente grande, para fijarla en una esquina del espejo del baño.* Escribe sobre ella una frase que sirva para fortalecer tu estima, especialmente en el área donde te sientes más debilitado y repítela varias veces antes de salir de la casa. Hazlo mientras dibujas una sonrisa en tu rostro. Aprovecha la oportunidad de asomarte al espejo con conciencia para apreciar aquellos rasgos agradables de tu fisonomía y reconócelos. ¡Eres muy especial... No te escondas más!

Receta 5. *Cuando has vivido con otra persona por algún tiempo, fingiendo ser una persona diferente, eres responsable de hacer el cambio paulatinamente.* Antes de comenzar a realizarlo, es muy importante que le comuniques a esa persona con la que has vivido, tu deseo de comenzar a ser genuino. Es muy importante que consideres la posición del otro y que en ningún momento lo hagas sentir culpable por lo que viviste; ¡recuerda que ello fue y sigue siendo tu elección!

SUGERENCIAS:

- *Realiza una evaluación de ti mismo y de tu actuación y descubre si has fingido...*
- *Ten presente que en la medida en que te vuelvas honesto y limpio en el momento de actuar, estarás transformándote en un ser más espiritual.*
- *Asume el compromiso de corregir aquellas actitudes o hábitos negativos hacia ti mismo o hacia otros...*
- *Nunca pienses que los otros están obligados a quererte así como eres en este momento... Mejorar por amor a nosotros o por amor a otros, forma parte del proceso de crecer.*
- *No trates de ser perfecto. ¿Sabías que en nuestra condición de humanos podemos equivocarnos? Lo único que se espera de nosotros es que corrijamos la falta, una vez que la reconozcamos.*

- *No te obligues a ser superhombre o supermujer... Puedes experimentar temor, duda, inseguridad o confusión de vez en cuando. Incluso puedes equivocarte y aceptar que así fue. Cualquiera de estas actitudes hará que esa persona con la que te relacionas, te aprecie, admire, valore y apoye.*
- *¡Ahora, muéstranos tu verdadera cara, permítenos conocer tus cualidades y limitaciones para intercambiar, crecer y apreciarnos!*

"¡Ser tú mismo es un derecho Divino!"

Ser próspero

La prosperidad llega a ti para darte mayor calidad de vida. Ser próspero no tiene nada que ver con cuánto dinero o posesiones materiales tienes. La prosperidad se origina dentro de cada uno de nosotros, e implica sentirte rico en sentimientos y pensamientos positivos de amor, paz, bienestar, abundancia y seguridad dirigidos hacia la vida, hacia uno mismo y hacia los demás.

La prosperidad comienza en tu mente, a través de pensamientos positivos, optimistas y libres de prejuicios. Evita los pensamientos de limitación, pobreza y fracaso. Conéctate sólo a la prosperidad y abundancia que existe en el universo.

Ser próspero significa sentirte a gusto contigo mismo, con el lugar que ocupas y con la tarea que realizas. Implica saber disfrutar de lo que tienes y lo que eres y poner todo tu empeño en realizar el trabajo necesario de forma disciplinada y perseverante, dirigido a transformar y mejorar tus condiciones de vida.

¿CÓMO ATRAER LA PROSPERIDAD A TU VIDA?

Receta 1. *Comienza por erradicar de tu mente los pensamientos de limitación, incapacidad o necesidad.* La abundancia comienza en tu mente, a través de tus pensamientos positivos e ilimitados, pues eres lo que piensas. Mientras tengas más pensamientos de abundancia y mayor visualización de todo aquello que deseas para ti, más cerca estarás de atraerlo.

Receta 2. *Aprende a canalizar el temor y la inseguridad que puedas experimentar, mientras trabajas para crear la prosperidad.* El temor es una energía que apaga y estanca todo proceso de transformación y de creación positiva. No permitas que el temor de no alcanzarlo, o que lo consiga otro antes que tú, te haga perder el trabajo conscientemente dirigido a mejorar la calidad de tu vida para vivir con prosperidad.

Receta 3. *Realiza un dibujo donde se encuentre plasmado todo lo positivo que deseas para ti o para otro (siempre con buena intención).* Hazlo con todos los detalles posibles o pega en una hoja recortes que contengan la imagen de lo que deseas alcanzar, dibújale un marco de color dorado y cada vez que te acuestes y te levantes contempla tu dibujo. Quiero recordarte que el poder de la visualización, sin el trabajo responsable para lograrlo, es como una lámpara sin combustible que no enciende para dar luz.

Receta 4. *Dales a otros lo que deseas para ti.* Muchas veces nuestra condición mental de pobreza o escasez hace que nos cerremos a compartir con otros, pues tenemos internamente la consideración de no tener suficiente para dar... Deshecha esa idea, mete las manos en el bolsillo de tu vida y da lo poco que creas tener. ¡Verás cómo la magia divina llena no sólo tu bolsillo, sino tu vida!

Receta 5. *Trabaja para encontrar los recursos y el camino que te lleven a vivir con prosperidad.* No pienses que el dinero vendrá de una forma fácil y sin esfuerzo a tu vida; deja de esperar y comienza a trabajar. Pregúntate silenciosamente si estarás en el camino correcto para que tu esfuerzo tenga frutos.

Sugerencias:

- *No malgastes tus recursos en cosas que no te reporten algo positivo.*
- *Recuerda que el universo está hecho con abundancia y que la prosperidad hace que todos los cambios produzcan nuevos y mejores retornos.*
- *Organiza y mantén ordenado tu dinero dentro de la billetera. Aprende a respetar el dinero sin pensar que lo necesitas para ser feliz.*
- *Realiza todo esfuerzo necesario dirigido a producir abundancia en tu vida. No esperes de otros o de la vida la solución fácil a tu situación.*
- *Aprecia y valora todas las pequeñas cosas y circunstancias positivas que acompañan tu vida.*
- *Ser próspero no significa que ignoras la limitación o la necesidad en tu vida o en la de otro. Sólo significa que la reconoces; sin dejarte*

intimidar por ella, trabaja para sacarla de tu vida o de la de otros.

- *Piensa que el dinero es una energía.*
- *Repítete a ti mismo muchas veces: ¡Soy el hijo próspero y consentido de Dios!*
- *No olvides que eres tú quien atrae con tu forma de pensar y tu manera de actuar, las condiciones que envuelven tu vida en todo momento. Así que respira suave y profundamente y piensa: no importa lo negativo que hayas experimentado en el pasado, a partir de ahora comienza la transformación paulatina de esas condiciones.*

¡Rico no es aquel que tiene todo lo que quiere, sino quien quiere todo lo que tiene!

La gratitud

Poder experimentar un sentimiento de gratitud y generosidad, es el resultado de estar en armonía contigo, con los otros y con la vida.

Cuando nos sentimos agradecidos y damos las gracias, cuando le enviamos esta energía amorosa al mundo a través de nuestras palabras o acciones, nos sentimos inmediatamente llenos de paz.

La gratitud es una forma de salir al mundo con amor, seguridad y sin prejuicios.

Muchas veces dirigir tu tensión hacia lo que esperas recibir o alcanzar, te impide disfrutar de lo que tienes... Ábrete a reconocer y disfrutar cada pequeño regalo que recibes en el día, agradece por tener un día más, por el gesto de ese amigo, por tener dónde dormir y descansar, por tener a tu pareja, por tus hijos que sientes especiales, por tener el dinero para pagar tus cuentas, o simplemente, como yo hoy, por encontrar alguien que me abriera la puerta del carro cuando se me quedaron las llaves adentro.

¿CÓMO SENTIRME AGRADECIDO?

Receta 1. *Aprende a no centrar tu atención únicamente en lo que te falta.* Muchas veces eres tú mismo, a través del pensamiento quien hace que la circunstancia de limitación te acompañe por más tiempo. Levanta la mirada y observa a tu alrededor. ¡Tienes muchas otras cosas buenas! Además muchas veces tienes más de lo que puedes disfrutar.

Receta 2. *No te lamentes por lo que parece no llegar.* ¿Has pensado alguna vez que las cosas que no suceden evitan que ocurran desastres? Agradece por lo que te llega y descubrirás con el tiempo que fue lo mejor.

Receta 3. *Mantente despierto y atento para observar y reconocer tus bienes y dones.* Aprende a resaltar todo lo bueno, bello y cotidiano pero importante y especial que ocurre a tu lado. No lo dejes pasar aun si te parece corriente... Estamos enseñados a querer lo que tienen los demás y esto hace que no apreciemos lo que realmente poseemos.

Receta 4. *Agradece a otros por cada pequeña o gran cosa que recibes de ellos.* Cuando agradeces a los demás aun cuando estos reciban un pago por lo que hacen, todo florece a tu alrededor... Tus frases amables son muchas veces el único reconocimiento que ellos reciben por dar lo mejor de si. ¡No dejes de hacerlo, pues todos lo necesitamos para no renunciar!

Receta 5. *Agradece silenciosamente a la Divinidad por todos esos momentos en los que la magia de su presencia te sostiene.* Son muchos e inesperados los instrumentos que utiliza la vida para acompañarte o rescatarte. Otras veces te abre una puerta o una ventana, te muestra el camino, te envía una respuesta o te acerca a una oportunidad, si estás atento para descubrirlo en el momento.

Receta 6. *Aprende a sentir gratitud por los momentos difíciles.* Aunque te parezca imposible, con el tiempo y la comprensión de que nada sucede por casualidad, reconocerás el significado de muchos de los eventos difíciles en tu vida y a partir de ellos podrás decir: gracias por dejarme crecer y ser quien soy.

Receta 7. *Elabora un ritual de agradecimiento.* Crea un ritual que te permita junto a tus hijos agradecer por cada evento, persona o cosa que los hizo sentir bien, queridos, recompensados o apreciados durante el día. Permite que cada quien exprese en voz alta sus agradecimientos e incluye la gratitud por los regalos esenciales.

Sugerencias:

- *El día de hoy muéstrate agradecido con todos los que han participado o contribuido con tu crecimiento y bienestar... Reconócelos y encuentra la manera de hacérselo saber.*
- *Cómprale unas flores o chocolates a tu pareja y agradécele por su presencia en tu vida.*
- *Hoy sal de tu casa por un momento, vacía tu mente, respira y siéntete vivo... agradece por estarlo.*
- *Escribe una nota o haz una llamada para agradecer a esa persona que fue especial contigo,*

aunque inicialmente haya sido un desconocido.

- *Recuerda que nadie está obligado a darte lo mejor de sí. De manera que cuando te lo entreguen, recíbelo con amor y retribúyelo agradecido. Reconoce y agradece el trabajo de todos los que intervienen para que disfrutes lo que tienes, pues sin el esfuerzo de ellos no podrías hacerlo... ¡Vivir agradecidos, implica que hemos comprendido el sentido profundo de estar vivos: Servir y Amar!*
- *Exprésale tu gratitud a ese desconocido que sostuvo la puerta para que pasaras o a esa persona que se detuvo y te ayudó a inflar la llanta de tu carro.*

"¡Gracias por un nuevo día y por todas las sorpresas que guarda para mí!"

Tomar decisiones

¿Cuántas veces por falta de una decisión has dejado pasar una oportunidad excelente en tu vida o la posibilidad de lograr la felicidad o abrirte a compartir con otro en una buena relación de pareja? Todo, por no aprender el arte de tomar decisiones.

La vida te exige constantemente tomar decisiones acerca de muchas cosas en el día a día, algunas sin consecuencias importantes, pero hay otras que pudieran afectar o cambiar el curso de tu vida o la de los demás.

Es muy importante lograr que nuestras decisiones sean tomadas con la responsabilidad que nos permita asumir sus consecuencias, y con la conciencia de que nos dé la claridad para ver la proyección de nuestra decisión.

La indecisión se alimenta del temor a equivocarnos, no lograrlo, no obtener lo que buscamos... en fin, son muchos los argumentos que utilizamos para justificarnos en el momento de no querer decidir.

Lo más importante es recordar que la vida con frecuencia nos coloca en la disyuntiva de elegir constantemente dónde comer, qué ropa ponernos, si nos vamos o nos quedamos, si continuamos intentándolo o renunciamos. Cada vez significará un riesgo importante de tomar. Aun cuando pienses que no tomarás decisión alguna en este momento y que te concederás el tiempo para analizarlo... ¡tarde o temprano descubrirás que el no hacerlo, también fue una decisión!

¿CÓMO PUEDO TOMAR DECISIONES CON MÁS FACILIDAD?

Receta 1. *Tener la meta clara y bien definida.* Muchas veces cambiamos constantemente de objetivos y esto hace que perdamos la seguridad. Equivocado o acertado, sigue adelante y elabora un plan.

Receta 2. *Cuando decidas algo, llévalo a cabo hasta el final.* Es posible que tengas el hábito de comenzar proyectos y esfuerzos y no concluirlos. Muchas veces tomamos decisiones sin estar preparados para convertirlas en acción y por eso, abandonamos apenas en el intento. Una vez que tomes la decisión, no te detengas hasta convertirla en acción.

Receta 3. *Practica alguna técnica que te sirva para mantener el equilibrio de tus emociones y para aumentar la claridad mental.* El sentirte inseguro acerca de cuál decisión tomar en un momento dado y presionado a tomar la mejor, puede restarte claridad en el momento de analizar la situación asertivamente. Por esto es importante tomar decisiones con la mayor claridad y serenidad posible.

Receta 4. *Practica hacer una proyección para imaginar las consecuencias o efectos de tu decisión.* Piensa en lo peor que te puede suceder, prepárate para darle solución y luego simplemente espera lo mejor... ¡Aunque no suceda lo que esperamos inicialmente, siempre ocurre lo mejor!

Receta 5. *Cuando necesites ayuda, asesórate.* Hay momentos en los que no te sientes suficientemente seguro acerca de cuál decisión tomar. Entonces pide la sugerencia a esa persona imparcial, profesional o exitosa en el área que involucra la toma de tu decisión y coméntale tu inquietud.

SUGERENCIAS:

- *Piensa con frecuencia en lo que quieres hacer u obtener positivamente. El poder de la visualización te ayudará a mantener tu concentración y a lograr tus objetivos.*
- *Siente seguridad en ti mismo y piensa que tienes la capacidad para tomar la mejor decisión. Recuerda que dentro de ti está la presencia Divina que te guiará para hacer lo mejor en todo momento.*
- *Analiza la situación siendo lo más objetivo posible, evalúa los pros y los contras y ponte un límite de tiempo para tomar la decisión.*
- *Llegado el momento que te hayas fijado, simplemente actúa y vuelve tu decisión una acción.*
- *Si te mantienes enfocado en tu meta, sin dispersarte, y construyes el hábito de terminar lo que comienzas, encontrarás que tomar decisiones se vuelve más sencillo.*

- *Busca apoyo en aquellas personas que consideras capaces, preparadas y exitosas, no sólo por sus palabras o ideas sino por la coherencia con sus logros personales.*

Sentir paz interior

Si no estamos alegres y en paz ahora mismo, ¿cuándo vamos a estarlo, mañana, pasado mañana? ¿Qué es lo que nos impide estar en paz en este momento?

A veces ocurre que dejas abiertas permanentemente las ventanas de tu vida y permites de esta manera, que te invadan y afecten las miradas y los sonidos del exterior, causándote tensión, temor, ansiedad, confusión y hasta, la pérdida de tu paz interior.

Estar en paz significa que mantienes la serenidad que te permite comprender, tolerar y compartir con más facilidad. También significa que has alcanzado la madurez para aceptar todo cuanto llega a tu vida, para tomar lo positivo y desechar lo negativo sin que te afecte profundamente. Estar en paz significa saber que todo pasa y que ello no es más que una oportunidad para crecer.

¿Cómo experimentar Paz Interior?

Receta 1. *Aprende a cerrar y abrir las ventanas de tu vida a voluntad.* Ciérrate para dejar afuera lo negativo que pueda afectarte y ábrete sólo a todo lo bello, positivo, amoroso y mágico que sucede a tu alrededor. Eres tú quien decide de qué manera te afectará todo lo que sucede fuera de ti.

Receta 2. *Para recuperar la paz interior, comienza por aprender a estar en presente.* Concentra tu atención en el aquí y el ahora. Dedícate a hacer aquello que te corresponde en este momento y deja de preocuparte por lo que vendrá después. No permitas que tu mente te lleve al pasado o al futuro para tensarte o preocuparte; aprende a planificar tu tiempo y tus asuntos pendientes por orden de prioridad, de manera que puedas atender una cosa en el presente.

Receta 3. *Practica la respiración consciente mientras observas a tu alrededor.* Reconoce que estás vivo aquí y ahora, respira a tu propio ritmo y sonríe. Establece contacto contigo mismo en tu interior y reconoce tus capacidades, talentos y dones. Al mismo tiempo, siente la fuerza de la presencia de la divinidad y recuerda que no estás solo.

Receta 4. *Practica la sonrisa.* Imagina que dibujas una sonrisa en tu rostro aun sin verte en un espejo. Siente cómo se aflojan tus músculos faciales y relaja tu entrecejo. Sonreír te ayuda a afrontar el día con más amabilidad y sabiduría. Además, una sonrisa reafirma nuestra conciencia y determinación de ser felices.

Receta 5. *Practica la meditación.* Aprende a aquietarte mental y emocionalmente, de manera que puedas así aumentar tu claridad y fortalecer tu paz. Meditar es entrar en el vacío, lograr que tus pensamientos entren y salgan libremente de tu mente sin detenerlos o atenderlos, al mismo tiempo que sueltas y dejas ir la tensión y la afectación que pudieras experimentar. Mientras respiras a tu propio ritmo, suave y profundamente, vas logrando un estado de vacío a través del cual te conectas con tu esencia y con la presencia de la Divinidad en tu interior, para recuperar la seguridad, la sensación de protección y de nuevo la paz. Practica este ejercicio con frecuencia, de manera que puedas fortalecerte internamente para lograr así manifestar tu paz interior, especialmente en los momentos difíciles que experimentes.

Receta 6. *Haz frecuentes tus contactos con la naturaleza.* Aprende a disfrutar de la contemplación de tu jardín, del parque o del entorno natural que rodea tu casa. Escoge un lugar de tu agrado y siéntate cómodamente a contemplar con detalle el paisaje que te rodea. Mientras lo haces, permite que la paz y la belleza del lugar limpien tu mente, descanse tu cuerpo y sane tu corazón, recordándote que puedes salir de cualquier situación con éxito.

Sugerencias:

- *El día de hoy, prueba contar hasta cien si fuese necesario antes de permitir que el comentario de otro te haga perder la paz.*
- *Planifica tus próximas vacaciones en un lugar lleno de belleza natural. Sal a caminar y observa los colores, las formas y la entrega que cada uno de los seres que componen ese paisaje realiza a través del cumplimento amoroso de su función.*

- *Camina con los pies descalzos sobre la arena o el césped húmedo.*
- *Cumple con ese asunto pendiente que te impide estar en paz... ¡Evita postergar!*
- *Decide escuchar y atender sólo lo positivo que llega a tu vida.*
- *No te fijes en las elecciones equivocadas que hacen los demás, a menos que estés involucrado directamente, en cuyo caso prueba tener una mente abierta para analizar la situación sin afectación y entonces podrás darle la mejor solución.*
- *Pon música de tu agrado cada vez que estés en casa y acompáñate de ella, especialmente si es una melodía relajante o contiene sonidos de la naturaleza.*
- *Aprende a expresar de la mejor manera, lo que piensas y sientes. No guardes tu molestia y evita que más tarde se convierta en resentimiento, rabia o dolor.*
- *Vive en presente, atento a cada evento en tu vida cotidiana.*
- *De vez en cuando cierra los ojos y respira profunda y suavemente; al abrirlos de nuevo, ubícate y observa lo hermoso del momento.*
- *Estar en paz significa tener la seguridad de poder hacer uso de las herramientas que se encuentran en tu interior cada vez que necesites de ellas, para enfrentar, asumir o manejar alguna situación. Implica tener la capacidad*

de volver a tu punto de equilibrio y serenidad cada vez que te sientas alterado por alguna circunstancia, pensamiento o emoción.

Vive con entusiasmo

El entusiasmo es una fuerza indispensable para tener una vida plena. Yo diría que es el 50% de la energía que nos impulsa a conseguir lo que nos hemos propuesto. Sin él, nuestra vida se convertiría en una lucha difícil de ganar, pues cada obstáculo sería un problema difícil de resolver.

Sentimos entusiasmo, como producto de tener pensamientos positivos y optimistas, de sentirnos seguros en sí mismos, sabiendo que tenemos las herramientas necesarias para resolver y manejar cualquier situación. También proviene de la convicción de que siempre lo que sucede es lo mejor.

A veces el entusiasmo se apaga en nosotros, cuando le damos poder a los comentarios negativos de otros, cuando el temor se nos hace mas grande que el valor o cuando nos dejamos afectar por alguna situación. Otras veces obedece a la falta de confianza en nosotros mismos y en lo que podemos alcanzar.

Recuerda que el entusiasmo es una fuerza que siempre nos impulsa a levantarnos sin importar cuántas veces nos hayamos caído; hace que desarrollemos la voluntad y la perseverancia. La más bella de sus cualidades es que nos permite ver oportunidades donde a veces nuestra cabeza y otras personas dicen que sólo hay obstáculos.

Así que endereza tu espalda, sacude tu cabeza para ordenar tus pensamientos, respira profundo y sonríe y veras cómo el entusiasmo llega de nuevo para estimularte a ser feliz.

¿CÓMO AUMENTAR MI ENTUSIASMO?

Receta 1. *Es de suma importancia aprender a fortalecer la confianza y el valor hacia nosotros mismos.* Muchas veces es la falta de confianza en tus capacidades lo que te hace perder el entusiasmo frente a un reto. Así que apóyate en el recuerdo de los momentos positivos, agradables y exitosos que hayas experimentado en el pasado y fortalece tu entusiasmo... ¡Tú puedes lograrlo!

Receta 2. *Reafirma tu fe y confianza en la Divinidad.* Nada sucede por casualidad, todo llega a nuestra vida para algo positivo. De manera que mantener la fe en compañía de la Divinidad hará que te levantes más fácilmente de cualquier dificultad. No estamos solos en ningún momento.

Receta 3. *Enamórate de cada proyecto que tengas en la vida.* Cuando quieres de verdad lo que haces, lo que tienes y lo que te propones, surge una pasión en tu interior, que se traduce en fuerza, alegría y voluntad de acción. Entonces tienes entusiasmo para levantarte cada día. Siente pasión por cada cosa que hagas y tendrás la fuerza para perseverar.

Receta 4. *Tiende el puente antes de cruzar a la otra orilla*. Cada vez que te encuentres frente a un reto pequeño o grande, tiende el puente. Esto significa que antes de ver todo lo negativo que pueda suceder para impedirte lograr lo que buscas, mira lo positivo primero. ¿Qué quieres, qué tienes? Lo que sea, visualízalo y no permitas durante este proceso que alguien te apague el entusiasmo. Luego que lo hayas soñado sin obstáculos, entonces acércalo despacio para que puedas analizar cada uno para solucionarlo, sin perder el entusiasmo y el optimismo inicial.

Sugerencias:

- *Escucha música con frecuencia, especialmente cantada y con ritmo, de manera que puedas conectarte a ella para dejar salir las penas y recuperar la alegría.*
- *Busca la compañía de personas con sentido del humor, déjate llevar y conéctate a ellas. El reír te devuelve el entusiasmo fácilmente.*
- *No te quedes estancado o encerrado en tu cuarto; sal y date una vuelta por algún sitio donde haya mucha gente, distráete y recupera el entusiasmo.*
- *Realiza alguna actividad al aire libre, pues el contacto con la naturaleza generalmente te permite recuperar la maravillosa sensación de estar vivo.*

- *Invita a un par de personas queridas y cocina para ellas, ya que ponernos en actividad hacia las personas que queremos, nos levanta él animo fácilmente.*
- *Escucha una grabación de relajación y practica el ejercicio el tiempo que sea necesario.*

"¡El día de hoy me lleno de entusiasmo por la vida!"

Hoy es un nuevo día

!Hoy puede ser el día más especial de tu vida! Lo único que necesitas es tener la certeza de que así será. A veces piensas que tu bienestar esta determinado por las circunstancias externas, pero en realidad lo que determina la calidad de tu día, son tus pensamientos. Así que arriba y adelante: hoy va ser el primer día del resto de tu vida.

El día de hoy sal con una sonrisa a la calle. Utiliza palabras amables para comunicarte y relacionarte con otros, especialmente si son tus personas más queridas. A veces sucede que con frecuencia nos dejamos llevar por la preocupación, el temor o la tensión, actuando sólo por reacción y entonces agredimos a otros y nos herimos a nosotros mismos.

El día de hoy será diferente; no le permitiremos a otros ni siquiera a las circunstancias dañarnos el día... Así, que continuaremos con nuestra intención de poner lo mejor de nosotros para recibir lo máximo de parte de la vida.

¿CÓMO TENER UN DÍA ESPECIAL?

Receta 1. *Revisa todos tus asuntos pendientes.* Inicia una forma diferente de organizarlos y ordénalos con un sentido de prioridad, de manera que puedas ocuparte de resolverlos sin abandonar los demás. Es importante recordar que la prioridad la da la urgencia.

Receta 2. *Elabora unas tarjetas que contengan frases que refuercen tus metas y tus nuevos pensamientos.* Por ejemplo: ¡Sólo tengo pensamientos positivos, de salud, valor y alegría este día! Colócalas donde puedas leerlas varias veces al día.

Receta 3. *Levántate unos minutos más temprano*. Al tener unos minutos de más, te será más fácil organizarte y estar listo a tiempo, para que no tengas que acelerarte al momento de salir de casa. También te permitirá salir calmado y con una mejor actitud porque estarás a tiempo.

Receta 4. *Procura ser amable este día*, especialmente con tus seres queridos y con los extraños. Usa palabras amables y tómate un minuto para reconocer o agradecer lo que ellos pudieran hacer por ti en algún momento. Recuerda hacerlo sin esperar su respuesta; de esta manera evitarás afectarte si no lo hacen.

Receta 5. *El día de hoy levántate con una sonrisa*. Apenas abras los ojos sonríe mientras observas a tu alrededor. No te incorpores tan rápidamente, tómate unos minutos para reconocer que estás vivo y dispuesto a disfrutar de un nuevo día. Toma una ducha agradable y relájate.

Sugerencias:

- *Saluda, vuélvete espontáneo y natural, cede el paso.*

- *Respira profundo y cuenta hasta cien si fuera necesario, antes de dejarte llevar por la reacción.*

- *Pide las cosas con un por favor, aun cuando consideres que los otros están haciendo su trabajo.*

- *Pide excusas si fuese necesario, especialmente en el momento de armonizar una relación o de hacerte responsable de un error.*

- *Cuando estamos dispuestos a suavizarnos, a contribuir y a compartir con otros, se hace posible que juntos convirtamos este mundo en un lugar más amable.*

- *¿Verdad que es muy agradable encontrarnos con alguien sonriente, amable y dispuesto a colaborarnos?*

- *No esperes que otros hagan las cosas primero que tú; toma la iniciativa y una vez que comiences, no te detengas por ninguna razón, ni siquiera porque todavía no te reconozcan o sientan la motivación para hacerlo al mismo tiempo que tú.*

- *Hoy puede ser un día diferente y especial si tú lo decides internamente y haces cuanto sea necesario por dar lo mejor de ti para experi-*

mentarlo. ¡No permitas que las actitudes negativas o agresivas de los demás te afecten o te dañen el día!

"¡Hoy es un día bello para comenzar de nuevo!"

El respeto

El respeto es indispensable entre unos y otros para convivir con armonía.

Generalmente vivimos ensimismados, sólo atentos a nuestra urgencia, nuestra necesidad, nuestros asuntos pendientes o nuestros derechos. Esta actitud nos hace muchas veces irrespetar la urgencia, la necesidad, los asuntos pendientes o los derechos de los demás... generando tal vez sin mala intención, un caos que nos afecta a todos por igual.

¿Cuántas veces te has sentido molesto por la viveza o el irrespeto de otro? ¿Cuántas veces eres tú, sin darte cuenta, ese otro?

El respeto a la diferencia es importante en nuestras relaciones con los demás, especialmente en la relación de pareja y en la de padres e hijos, donde el respeto a ideas y pensamientos, nos da la sensación de ser aceptados y queridos. Vivir con respeto hará del mundo un lugar más amable, donde cada uno de nosotros tenga una vida con más calidad.

¿Cómo recupero el respeto en mi vida?

Receta 1. *No le hagas a otro, lo que no te gustaría que te hicieran.* Colocarte en el lugar del otro sólo por unos segundos antes de actuar, seguramente te permitirá ajustar tus palabras o tu actitud e inclusive tus ideas acerca de las personas, mejorando de esta manera tu expresión, comportamiento y relación con los demás.

Receta 2. *Piensa siempre en el respeto como en una calle de doble vía.* Pide a otros aquello que estás dispuesto a entregar. Hazlo especialmente con tus niños. Muchas veces como padres les exigimos lo que no les damos, por considerarlos niños, sin pensar que un día serán adultos con actitudes irrespetuosas hacia los demás.

Receta 3. *Evita hacer comentarios dañinos o destructivos acerca de otra persona.* Aun cuando sientas que tienes razones para hacerlo, recuerda que el respeto a la intimidad de otros es importante, especialmente si están ausentes.

Receta 4. *Establece acuerdos que se respeten.* Los acuerdos se establecen con la intención de permitirnos participar e interactuar sin que nuestras diferencias nos afecten negativamente. Por eso, el respeto a los acuerdos, tomando en consideración la presencia de otros que pudieran experimentar las mismas necesidades que tú, facilitará el desenvolvimiento de nuestra rutina diaria.

Receta 5. *Cumple con las citas y los compromisos que asumes a voluntad.* Si ves con anticipación que no puedes cumplir una cita o compromiso que adquiriste con anterioridad, llama a la persona y comunícaselo o hazle llegar una nota para que pueda hacer uso del tiempo que tenía reservado para ti. No permitas que sea el tiempo o una justificación tardía, la razón que enfríe o termine una buena relación.

Sugerencias:

- *Te propongo respetar el semáforo y las señales de tránsito.*
- *Piensa que de esta manera estás contribuyendo con su orden y fluidez. Algunas veces somos nosotros quienes irrespetamos el paso o el derecho de los demás, solo que nos sentimos justificados por alguna buena razón. ¿Qué tal si esos otros también tienen su buena razón para irrespetarnos a nosotros?*
- *¡Dejemos de justificarnos y comencemos por respetarnos a nosotros mismos y a los demás!*
- *Respeta las filas que se formaron antes de tu llegada, especialmente si vas tarde y te sientes apurado...*
- *Piensa antes de hablar... y asegúrate de usar las palabras adecuadas para comunicarte con otros, especialmente con tus seres queridos.*
- *De vez en cuando practica guardar silencio y escuchar con atención al otro. Muchas veces sólo hablas tú y no le permites a tu pareja expresarse. En realidad, debemos expresarnos todos.*

- *En fin, te invito a vivir con más calma, conciencia y responsabilidad.*

¡Vive con dignidad y respétate a ti mismo para que otros te respeten!

Amar lo que haces

¿Te gusta el trabajo que realizas o la actividad a la que te dedicas?

Para muchas personas el trabajo que realizan es una obligación que además les produce una sensación de peso, aburrimiento, cansancio y presión. ¿Cómo pueden estas personas con semejantes sentimientos darnos lo mejor de sí?

El trabajo es, en realidad, un instrumento que nos permite servir y de alguna manera contribuir con la mejora de nuestra calidad de vida y la de los demás. Por eso es tan importante sentirte a gusto con lo que haces, pues sólo así sentirás el deseo de dar lo mejor de ti. Reconocer la trascendencia de esa labor que realizas, aun cuando la consideres muy pequeña y encontrar en ella la motivación que te impulse a realizarla esa tarea con excelencia y dedicación, te hará vivir la diferencia. ¡Encuentra tu misión en la tierra y entrégate a cumplirla con entusiasmo, excelencia y determinación!

¿CÓMO SENTIR AMOR POR MI LABOR?

Receta 1. *No permitas que la comodidad, la viveza, la apatía y la falta de motivación o reconocimiento, te hagan actuar con mediocridad.* El poco amor por lo que haces o el sentirte obligado a realizar una tarea, son muchas veces la causa de tu poca dedicación. Reflexiona a tiempo y cambia tu actitud frente al trabajo, pues de lo contrario, será la vida quien no te permita cambiar con facilidad dicha circunstancia.

Receta 2. *Trabaja con calidad y excelencia.* Conviértete en esa persona que por la calidad y excelencia de su servicio, por su amabilidad y buen trato, podamos recordar siempre. Encuentra la mejor manera de realizar tu tarea aunque hacerlo signifique un poco más de tiempo o de esfuerzo. No olvides que quien te recompensa por lo que haces no son las personas que reciben lo que entregas, sino la vida misma...

Receta 3. *No te conformes con hacer sólo lo que te pidan que hagas; haz siempre un poco más...* Es posible que ya no sientas el deseo de dar todo de ti, por falta de reconocimiento o remuneración o simplemente porque en este momento quieras dedicarte a otra actividad y no puedes... En fin, cualquiera que sea la razón que justifique tu pereza o apatía, levántate por encima de ella y realiza el esfuerzo de dar lo mejor de ti y veras cómo al recordar la proyección y los beneficios de lo que haces en tu vida y en la de los demás, lograrás concentrarte en hacer lo mejor a cada instante, para fijarte menos en la recompensa que obtendrás. Anímate y da un paso más.

Receta 4. *Recupera la mística*. Tener mística es experimentar la convicción de entregar todo lo que tienes y eres, a través de la tarea que realizas, con amor y con excelencia. Es la energía que percibimos de la entrega y dedicación a la tarea que con amor realizamos. Muchas personas alcanzaron la iluminación a través de la mística con la que se entregaron a cumplir con su misión. ¿Te has preguntado por qué hay personas que quieren ser atendidas solamente por alguien en particular? Será, seguramente, porque estas personas que prestan el servicio, lo hacen con dedicación, se toman todo el tiempo necesario, lo hacen con una sonrisa y con toda la amabilidad y el deseo de hacer lo mejor. Por esto es tan importante sentir amor por cualquiera que sea la tarea que realizas; entonces, lo harás por convicción y no por el interés de ser recompensado o reconocido por otros.

Receta 5. *Si no te sientes a gusto con el trabajo que realizas*, te sugiero que continúes dando lo mejor de ti. Hazlo con toda la dedicación y la entrega que puedas. Entonces, veras cómo la vida abrirá una puertecita y te acercará una nueva y mejor oportunidad. Lo importante es que no abandones, no te deprimas y estés listo y dispuesto para la nueva oportunidad, de manera que cuando llegue, sea tu buena actitud y disposición las que te permitan hacer uso de ella.

SUGERENCIAS:

- *Varía la forma en la que realizas tus tareas diarias. Imprímele a tu rutina un poco de creatividad y renueva tus ganas.*
- *Si eres de las personas que trabajan con público, prueba sonreír y ser amable, a pesar de cualquier consideración que pudiera afectarte.*
- *Si estás en casa, prueba adornar la comida al momento de servirla y verás que será mejor recibida. Prueba un par de recetas nuevas y cuando estés preparándolas, hazlo sintiendo amor por las personas que van a comerlas.*
- *Si eres médico, descansa lo suficiente para estar en las mejores condiciones y así atender con tiempo de calidad a tus pacientes. Muchas veces el enfermo necesita con urgencia un poco de amor y de atención para sanar más rápidamente.*
- *¡No olvides que es en lo momentos difíciles cuando se prueba el verdadero amor por lo que hacemos!*
- *Cuando realizas una tarea, hazlo con dedicación, con creatividad, concentrado en lo que haces, con el deseo de darle solución, con entusiasmo y con la convicción de que hacer lo mejor es tu gran responsabilidad en la vida, aunque nadie parezca reconocerlo a tu alrededor... Habrás encontrado tu misión y tu lugar en la vida y será entonces cuando la Divinidad te devuelva multiplicado mágicamente, en el momento en que lo*

necesites, todos tus bienes. Créeme, el mundo necesita más personas con mística de servicio. Si eres una de ellas, por favor, no te canses y continúa compartiendo lo mejor de ti con todos nosotros. ¡Gracias por hacerlo!

¡Siente amor por cada pequeña o gran tarea que realizas!

El miedo puede ser un aliado

Para superar tus miedos ármate de valor... ¡dentro de ti está la llave!

En los últimos años he madurado y simplificado al mismo tiempo mi comprensión del miedo. He descubierto que existe un miedo natural y positivo, inherente al proceso de vivir y crecer, que sirve para protegernos y que nos alerta sobre peligros reales, por ejemplo, cuando vamos a cruzar una calle miramos a ambos lados antes de hacerlo, o colocarte el cinturón de seguridad antes de comenzar a manejar. El miedo también nos lleva a considerar los peligros antes de tomar una decisión importante. En fin, sin ese instinto estaríamos completamente expuestos al peligro.

Pero también existe un miedo sumamente negativo y es el que experimentamos a través de una serie de imágenes y pensamientos, que casi todo el tiempo nos llevan a considerar lo peor que puede suceder. Podemos aprender a canalizar este último, para evitar caer presas del temor, y que este se convierta en el motivador de las decisiones que tomemos. Vinimos a aprender el Amor en lugar del temor.

Cuando llevamos a cabo algunas de las siguientes acciones, significa que tenemos una personalidad temerosa. Evitar enfrentar las situaciones que nos parecen peligrosas o desagradables, aunque sean importantes para nosotros; permanecer inmovilizados frente a una situación de peligro, en lugar de actuar oportunamente; tener una actitud de defensa agresiva; mostrarnos sumisos casi todo el tiempo, hasta permitir que nos humillen sin razón; criticarnos a nosotros mismos con dureza, antes de recibir críticas por parte de otros y tratar de interpretarlo todo, permaneciendo atentos al peligro o a los problemas que pudieran aparecer.

Tengo miedo de hacerlo mal..., ¿Y si me equivoco, si me acerco y me rechazan, si no consigo trabajo, si me quedo solo? Estos son algunos de los muchos interrogantes que surgen en nuestra mente y que con frecuencia nos paralizan o nos llevan a actuar de una forma equivocada.

Para conocer y cambiar cualquier sentimiento, lo primero que necesitamos hacer es identificarlo, mirarlo de frente y aceptar que está en nosotros, para luego pasar a la acción.

¿CÓMO SUPERAR EL MIEDO?

Receta 1. *Aceptar que tienes miedo:* Para tomar conciencia de los miedos, un recurso excelente es escribirlos. Hazte las siguientes preguntas: ¿A qué le tengo miedo realmente? ¿Qué cosas estimulan mi miedo? ¿Qué personas conozco que tengan los mismos miedos? ¿Qué reacciones tiene mi cuerpo? ¿Para qué me sirve este miedo?

Receta 2. *Pasar a la accion*: Es bueno comprobar con la experiencia que el peligro real no es tan grande como lo imaginamos. Necesitamos llenarnos de valor para enfrentar la situación; por tanto, pregúntate qué es lo peor que puede pasar, y prepárate para resolverlo, luego confía y espera lo mejor. Por ejemplo, si tienes temor de estar enfermo, lo mejor que puedes hacer es ir al médico para examinarte y salir de ese estado de tensión. No dejes pasar el tiempo sin actuar pues el temor será mayor.

Receta 3. *Escucha tu cuerpo*: Si nuestra respiración se agita, podemos regularla. Si nuestros hombros se tensan, podemos relajarlos. Si el pensamiento mecánico que sostiene el miedo se dispara, podemos detenerlo cantando o recordando que dentro de nosotros se encuentra un ser sabio y bondadoso que nos acompaña y protege todo el tiempo.

Receta 4. *Expresa tu miedo*: Busca un lugar cómodo donde puedas expresarte libremente. Siéntate y coloca un cojín frente a ti. Imagina que ese cojín es algo o alguien que te produce temor. Habla de todo lo que te produce miedo de esa persona o de esa situación y también exprésalo corporalmente; llora si tienes ganas o deja salir la rabia que experimentas y libera esa energía. Termina la experiencia con algún ejercicio de relajación o tomando una buena ducha para relajarte y descansar.

Receta 5. *No te exijas tanto*: Acepta tu realidad sin esperar alcanzar un ideal de perfección que no existe. Tienes miedo ¿y qué? Todos experimentamos temor frente a algo aunque no lo reconozcamos. Muchas veces el deseo de ser mejor de lo que somos, nos impide reconocer nuestras limitaciones para superarlas. No se trata de aparentar que somos perfectos; es importante darnos el permiso de reconocer que en algunos momentos sentimos temor, para así poder desarrollar el valor que nos ayude a enfrentarlo.

"Recuerda que muchas veces el temor existe sólo en tu mente; entonces aférrate a la fe y recuerda verdades sencillas: Todo pasa, nunca estás solo, todo ocurre para aprender. La mayor prueba es la que nos permite superarnos a nosotros mismos y el universo siempre conspira para ayudarnos".

Más ligeros de equipaje

Estaba en casa de una amiga, cuando una de ellas nos contó que su prima había guardado por mucho tiempo una vajilla finísima que no usaba nunca, esperando una ocasión muy especial. Un día entraron a su casa y se llevaron algunas cosas, incluyendo la vajilla... Lo positivo de la historia fue su moraleja: "A partir de ahora voy a usar todo lo que tenga; esto no me volverá a pasar".

Podemos caminar la próxima etapa de nuestro viaje más ligeros de equipaje. A lo largo de la vida hemos ido acumulando objetos, recuerdos, ideas, creencias, cosas que no usamos o que ya no nos sirven, pero que insistimos en guardar, por si acaso... ¿Cuándo fue la última vez que hiciste un inventario en tu vida para despojarte de todo lo que ya forma parte del pasado?

¿Eres una de esas personas que tienen un closet, un cuarto o un garaje lleno de cosas viejas? ¿guardas algún objeto que se quebró o daño pero que puede servir como repuesto de otro que no tienes? ¿o tal vez tienes tu closet lleno de ropa que ya no te pones porque ganaste o perdiste peso pero te da lástima botarla y sigues guardándola para otro momento en que la puedas volver a usar? ¿o estás lleno de papeles viejos sin archivar ocupando un espacio encima de tu escritorio o en el closet, esperando tener tiempo de sentarte para poderlos ordenar? ¿tienes una o dos vajillas guardadas en el closet esperando la ocasión especial, mientras comes a diario en una que has completado con las piezas de todas las que se han quebrado? *¡Noto una sonrisita de complicidad, desde aquí!*

Hoy puede ser el momento especial que aguardabas para revisar un área de tu vida y desprenderte de algunas cosas que puedas compartir con otros que las necesitan. ¡El mejor momento de tu vida es ahora y las personas más especiales son tú y tus seres queridos! Vacía un poco tu vida y deja espacio libre para que nuevas cosas, oportunidades y respuestas entren en ella. Muchas veces tenemos más de lo que en realidad podemos usar y disfrutar.

¿Por dónde comenzamos?

Receta 1. *Regala todo lo que no vayas a usar*. Revisa los objetos que guardas y pregúntate si los usarás en los próximos 6 años. Si la respuesta es no, compártelos con personas que puedan usarlos y disfrutarlos en este momento. Te sorprenderá descubrir que entran en esta lista muchas de las cosas que guardas.

Receta 2. *Repara los objetos dañados*. ¿Sabias que cuando guardas objetos dañados o rotos sin reparar, atraes una energía de pobreza y limitación? Invierte tiempo y recursos, en la medida de tus posibilidades, en reparar dichos objetos, y si no se puede, respira profundo y despréndete de ellos; es posible que ya cumplieron su cometido.

Receta 3. *Ordena tus papeles*. Ármate de valor y de entusiasmo y lánzate a la aventura de ordenar tus papeles. Pon música y ten espacio suficiente para que puedas extenderte, ten carpetas o sobres para archivarlos por tema y por fecha; de esta manera te será más fácil hacer a tiempo tus pagos y encontrar alguna factura o papel que necesites.

Receta 4. *Renueva tus ideas*. Ábrete a nuevas ideas, especialmente si van a contribuir con tu bienestar y paz interior. No seas tan rígido y ábrete a escuchar sugerencias o nuevos planteamientos. También es sabio revisar tus creencias y cambiar algunas de ellas por otras que te impulsen a superar tus limitaciones. ¡Cambiar puede ser un proceso muy agradable... y una bendición!

Receta 5. *Simplifica la decoración de tus espacios*. La armonía y el balance de un ambiente están dados, por la luz el espacio y los colores que utilizamos. No te preocupes si no tienes recursos suficientes en este momento para adquirir más muebles. Muchas veces es más agradable una estancia con pocas cosas, pero llena de amor, familia y deseo de compartir lo que tenemos con otros. Deja espacio para que se manifieste la luz de la armonía en tu vida.

Receta 6. *Vacía el garaje*. Invita a tus hijos o a tus nietos a revisar junto contigo todas los tesoros que guardas en el garaje o en el “cuarto de los peroles”; déjalos que toquen y pregunten por las cosas que les llamen la atención; esto puede convertirse en una aventura divertida para estrechar los lazos de amor.

"Todos hemos sido bendecidos
con muchos regalos, intangibles...
No permitamos que se queden olvidados
en el tiempo; rescatemos los recuerdos
bellos, atesorémoslos en el corazón y
dejemos espacio para nuevos objetos, ideas,
creencias y oportunidades que nos permitan
renovar nuestra existencia... ¡Recorramos el
resto del camino, más ligeros de equipaje!".

Como geranios rojos en el balcón

Caminando por una ciudad de Europa, rodeada de todas esas construcciones de piedras antiguas, colores grises y sepias, en un ambiente un poco frío, húmedo y gris, me sorprendió observar en un balcón minúsculo una planta hermosa y exuberante de geranios rojos. En ese paisaje gris resaltaba mostrando todas sus cualidades... y pensé: ¡Así tenemos que ser nosotros!

Más tarde, durante el viaje nos encontramos con tres personas que me recordaron una vez más, la planta de geranios rojos. La primera era una señora que atendía en una tienda de tejidos a la que no le compramos nada, pero que aun así nos dedicó su mejor sonrisa y los más sensibles comentarios acerca de su viaje a México. La otra era un taxista de edad, que de manera sorprendente se bajó para abrirnos la puerta del carro, en una ciudad donde nadie te carga una maleta a menos que pagues la tarifa. La última era una prima divertida y llena de vida que nos atendió como si fuésemos las personas más importantes en su vida. Todas estas personas resaltaban en un medio ambiente austero y lleno de gente poco tolerante y rígida en sus hábitos y pensamientos.

¿Cuántas veces permitimos que el medio ambiente y las personas que nos rodean, afecten negativamente nuestra manera de ser? Tendríamos que desarrollar una coraza emocional y espiritual para proteger nuestra verdadera identidad y conservarnos limpios, entusiastas, confiados, seguros y positivos, a pesar de las circunstancias. Lo más fácil es volvernos negativos, agresivos, críticos y amargados, igual que la mayoría de las personas que nos rodean, pero lo más difícil es mantener nuestra diferencia, aun en un medio completamente hostil... ¡Esa es nuestra tarea!

Cuando recordamos que todo pasa, sin importar qué tan intenso sea, tenemos como alternativa el aferrarnos a lo positivo, aunque sea pequeño, en todo momento. Siempre podemos ser como la planta de geranios rojos.

Es posible que te parezca poco importante invertir unos minutos en ser amable, sonreír o atender de manera especial a una persona. Tal vez nunca llegues a saber de qué manera refrescaste su vida con tu forma de ser en un momento dado, pero te aseguro que tus comentarios, tus gestos y tu actuación positiva y amorosa, dejaron una huella amable y grata que recordarán toda la vida. Además, la recompensa instantánea será el sentimiento de satisfacción y alegría, acompañado de una serie de eventos pequeños pero milagrosos, que comenzarán a atraer la prosperidad y la luz a tu vida.

¿Cómo convertirnos en una planta de geranios rojos?

Receta 1. *Valora lo que das.* Considera valioso e importante todo lo que das o haces por los demás. Vale la pena dar lo mejor de nosotros sin esperar nada a cambio. Cuando quieras hacer o decir algo bueno a otra persona, hazlo y piensa que ello puede hacer una gran diferencia en su vida.

Receta 2. *Ten como modelo las características positivas de alguien.* Recuerda a una persona que haya sido especial para ti por su trato amable y copia sus gestos y sus palabras.

Receta 3. *Sonríe con frecuencia.* Cuando sonríes con facilidad, dejas salir lo mejor de ti y cualquier diferencia o distancia que exista con otra persona, desaparece instantáneamente. Para estar serios se requiere el trabajo de 40 músculos y para sonreír sólo necesitamos mover 15... es fácil hacerlo.

Receta 4. *Sé generoso con los demás.* Ser generosos no sólo implica dar lo que nos sobra en la vida, sino ser capaces de extraer de ella lo que creemos que necesitan los demás. Puedes ser generoso con sonrisas, con abrazos o con tu presencia. Ser capaces de animar a otro aun si estamos viviendo un mal momento, es muestra de generosidad.

Receta 5. *Exprésate con amabilidad.* Cuida tus palabras y tus frases; con ellas puedes hacer la diferencia. Saluda, da las gracias, pide por favor, pide disculpas si fuese necesario y sobre todo, habla con suavidad, de forma clara y directa, buscando siempre lo mejor para los demás.

Receta 6. *Interésate en los demás.* Es maravilloso guardar silencio y escuchar con atención la historia de otros, pues casi siempre descubrimos en un comentario o en una frase, la afinidad que tienen con nosotros. Dedica unos minutos a compartir con una persona sin juzgarla, hazlo abiertamente como un niño y disfruta la experiencia.

Receta 7. *Actúa con sencillez.* Evita ser superficial y trata de ser auténtico. Tu valor real no depende de las posesiones materiales, sino de tus cualidades y características personales. Atrévete a ser tú mismo y muéstrate con naturalidad.

"Nos hace falta tu presencia amable, generosa y espontánea para sentir que vale la pena esforzarnos en vivir la diferencia. Juntos podemos hacer un mundo mejor".

Fortalece tu voluntad

Vivimos en un mundo donde todo sucede cada vez más rápido, un mundo donde el consumismo está a la orden del día, donde la gratificación instantánea, el golpe de suerte o la felicidad que nos prometen de un día para otro, hacen que olvidemos la otra cara de la moneda, la que está forjada con el esfuerzo y el reconocimiento de nuestras limitaciones y capacidades. Es importante que aprendamos a cultivarnos.

A muchas personas les resulta muy difícil conducir su propia vida y viven a la deriva sin saber por qué hacen las cosas, o en qué dirección dirigir sus esfuerzos. Hay una palabra que casi nunca tenemos presente y que nos haría falta recordar para aplicar su significado: Voluntad, es decir, la energía que nos impulsa a conseguir lo que queremos.

Muchas veces nos planteamos objetivos y metas que no alcanzamos o cumplimos, por la falta de voluntad para perseverar o enfocar nuestro esfuerzo para conseguirlo. La mayoría de las veces nos hace falta esa voluntad para realizar actividades que tienen que ver con nosotros mismos. Por ello es bueno recordar que la voluntad va de la mano de la autoestima y analizar si estamos dispuestos a realizar mayores esfuerzos por los demás y por nosotros mismos.

¿Cuándo fue la última vez que te comprometiste a ir al gimnasio y no fuiste o a comenzar una dieta por salud o belleza sin haberlo logrado disciplinadamente? ¿Cuánto tiempo tienes tratando de levantarte más temprano y todavía no lo has logrado? Tal vez te hace falta un poco de voluntad.

Todos somos libres para elegir y decidir lo mejor para nosotros. Podemos crear la vida que deseamos o por lo menos tenemos la posibilidad de intentar tenerla; en este proceso la voluntad puede ser esa energía que nos permita desarrollar todas nuestras potencialidades y mantenernos en el camino que hemos elegido hasta conseguirlo.

Fortalecer la voluntad significa darle valor a las pequeñas cosas de la vida cotidiana. Reflexionar cada día, aprender de los errores, cuidar nuestro cuerpo, acercarnos a otros para compartir con ellos, volver al punto de balance y entrar en el ritmo del universo, cuando lo hemos perdido. Estas son algunas de las bases del logro personal.

Algunos enemigos a vencer son: La flojera, el dejar las cosas para después, la baja autoestima, la ausencia de motivación, la carencia de metas; siempre hay una excusa para justificar la falta de acción. Evita fijarte metas a largo plazo o que escapen de tus capacidades y posibilidades, porque el no alcanzarlas te hará sentir frustrado y bajará tus ánimos.

Estrategias para fortalecer la voluntad:

Identifica tus propósitos. Sólo tu sabes lo que quieres conseguir. Define tus metas con claridad y hazlo detalladamente. Puedes escribirlas para que sea más fácil visualizarlas y trabajar por ellas.

Visualiza tus objetivos. Si comienzas a imaginarlos mentalmente, puedes ayudarte a mantener el foco y a concentrarte para alcanzarlos más fácilmente. ¡Date permiso para soñar! Imagina la casa que quieres o el trabajo que deseas y comienza a darle forma y color a tus sueños.

Desarrolla la disciplina. Una vez que hayas elegido el propósito que deseas alcanzar, elabora un plan tomando en cuenta los horarios y las acciones que deberás tomar para lograrlo. Recuerda que puedes cambiar tu plan cuantas veces sea necesario pero ten cuidado con comenzar a buscar excusas para no llevarlo a cabo.

Cambia tus creencias. Si eres de los que piensan y se repiten muchas veces que no pueden hacer algo, intenta cambiar tu idea negativa y simplemente atrévete y hazlo. Tal vez descubras que tus miedos no tienen fundamento y que puedes, si te lo propones, superar tus limitaciones.

Cuida tus palabras. Nuestra voluntad está influenciada por lo que pensamos y decimos. Comienza a hablar de forma positiva, escucha y reconoce tus frases negativas más frecuentes y cámbialas. Lo que decimos muchas veces sin pensar, afecta nuestro estado de ánimo y puede levantarnos o apagarnos. Evita reforzar tus limitaciones.

Asume compromisos. Comienza por asumir y cumplir compromisos contigo mismo, fíjate objetivos pequeños a corto plazo y esfuérzate por cumplirlos. Poco a poco se ira incrementando tu fuerza de voluntad. Esta es una buena base para alcanzar tus metas.

> **"La voluntad también puede influir en el amor; si tenemos la voluntad de amar de verdad, podemos trascender el egoísmo y abrirnos a la experiencia de compartir con la persona que amamos. Cultivar la voluntad requiere desarrollar la paciencia, la autoestima, la perseverancia y la disciplina; al mismo tiempo nos abre la posibilidad de conectarnos con nosotros mismos".**

¡Celebrando la vida!

A propósito de cumplir años, pensaba que mi percepción acerca de su significado ha ido cambiando, siempre ha conservado un valor para mí y ha sido motivo de alegría y celebración personal. Me parece que todo se limpia a mi alrededor y comienza un ciclo nuevo.

Es como el cierre de un ciclo que me permite revisar y reflexionar acerca de lo que ha sido mi vida en el último año, preguntarme si quiero seguir viviendo de la misma manera o hacer algunos cambios. Simboliza al mismo tiempo el comienzo de otro ciclo completamente nuevo, que me permite plantearme la vida de una manera diferente y trabajar en mí para ser más libre de experimentar el bienestar y la plenitud de la vida. Así que, dejando atrás cualquier mal sentimiento o recuerdo, me dispongo a celebrar una vez más, el aniversario de mi nacimiento.

Generalmente hay dos grupos de personas, los que les gusta celebrar las ocasiones especiales y los que no, a menos que estén obligados a hacerlo. Celebrar significa reconocer el valor que tienen ciertos eventos para nosotros y está asociado a sentimientos de alegría, bienestar, y esperanza compartida... en fin, sentimientos que nos llevan a conectar con lo mejor de cada uno de nosotros. En la medida en que nuestras vidas se ven afectadas por las presiones del día a día, perdemos el sentido espontáneo de reconocer el valor que tienen las cosas buenas, bellas, pequeñas e importantes de la vida. No sólo se trata de celebrar los regalos o los milagros; también se trata de celebrar el esfuerzo y el trabajo que hemos realizado para alcanzar algo.

¿Qué es lo primero que viene a tu mente cuando piensas en celebrar? Mucha gente reunida y riendo, música bailable, una gran comida, globos, una fiesta... ¿Hace cuánto tiempo que no celebras algo? ¡Es tiempo de celebrar la vida! Tiempo de reconocer todos los pequeños regalos que recibimos cada día y todo el esfuerzo que hemos realizado solos o en grupo; tiempo de valorar la presencia positiva de otras personas en nuestra vida y de rememorar las fechas de aquellos acontecimientos importantes y positivos que marcaron nuestras vidas, entre ellas, un aniversario.

Existen muchas maneras de celebrar y quiero compartir algunas contigo

Receta 1. *Comparte con tus amigos.* Elige un grupo de amigos bien especiales y cuéntales el motivo de la celebración. Invítalos a compartir y a participar contigo en la preparación de la fiesta. Recuerda que en la medida en que te sientas a gusto y en confianza con ellos, disfrutarás más la celebración.

Receta 2. *Busca un momento de interiorización.* Es importante hacer un inventario de todo lo que has hecho durante este tiempo; pregúntate si hay algo que te gustaría cambiar. Este es el mejor momento para establecer nuevas metas que te lleven a conseguir aquello que sueñas.

Receta 3. *Organiza una reunión familiar*. Puede ser una ocasión perfecta para el reencuentro con la familia. Haz una lista con los nombres y teléfonos de aquellos familiares que te gustaría volver a ver e invítalos a compartir una velada contigo. Mantén siempre en el recuerdo el ánimo de la reunión y la celebración de los buenos momentos.

Receta 4. *Llénate de alegría.* Es muy importante que experimentes alegría por dentro, ya que éste es el combustible para despertar la creatividad y el espíritu de celebración. Renueva tus pensamientos y conéctate al recuerdo de todo lo bueno y positivo que ha significado para tí.

Receta 5. *Únete a la celebración.* Algunas veces son otros lo que celebran un acontecimiento especial; entonces, únete a ellos con el mismo espíritu de alegría y expresa tus felicitaciones desde el corazón. Desearle lo mejor a otros desinteresadamente, hará que la abundancia y la prosperidad llegue a nuestra vida. Aprende a alegrarte por lo que otros reciben o merecen en sus vidas.

Receta 6. *Expresa tus deseos.* Si el motivo de la celebración es personal, date gusto y complace alguno de tus deseos. Recuerda que tú eres la persona más importante para ti; encuentra la mejor manera de celebrarlo y no lo dejes pasar.

Receta 7. *Dale rienda suelta a la creatividad.* Con pocos recursos podemos hacer una celebración muy especial; lo más importante es tener el deseo de hacerlo; usa tu creatividad.

> **"Celebrar algún acontecimiento especial en nuestra vida, implica no perder de vista el significado profundo que tiene para nosotros y mantener vivo el recuerdo de todo lo positivo que ha traído a nuestra vida. Representa la oportunidad de compartir con otros la alegría y los buenos sentimientos que despierta en nosotros. El motivo de toda celebración es festejar en lo temporal algo que ya existía en nuestros corazones".**

El arte de convivir

¿Te has fijado en esas parejas que llegan a un restaurante, se sientan uno frente al otro y permanecen en silencio hasta que el mesonero llega,? Ella se queda viendo para algún otro lado o simplemente buscando algo en la cartera, mientras él habla por el celular sin parar. Al fin, revisan la carta y cuando llega el mesonero, ordenan y continúan en silencio, sólo intercambiando una frase de vez en cuando. Tal parece que cada uno hubiese llegado aparte y se encontraron en ese restaurante para compartir la mesa, porque no había más lugar. ¿Se les habrá acabado el amor? ¿Habrán tenido una pelea antes de entrar al restaurante, o será que ya se acostumbraron a vivir la relación de esa manera fría y distante?

Un amigo muy especial me comentaba una vez: puedo comparar mi matrimonio con la experiencia que tuve con mi barco, en dos momentos especiales que aún recuerdo: "El primero, cuando después de mucho desearlo pude comprar mi barco y el otro, cuando cansado de todo el trabajo y los problemas que me daba, salí finalmente de él". Lamentablemente, en muchos matrimonios ocurre lo mismo: Aparecen marcadas dos etapas importantes, una al comienzo de la relación cuando nos enamoramos y sentimos la absoluta seguridad de amar y ser amados, donde los detalles y las frases amorosas forman parte importante de la cotidianidad. La otra etapa es cuando comienzan a encenderse las alarmas que nos indican que algo anda mal, cuando queremos pasar más tiempo con los amigos que con nuestra pareja, cuando peleamos por todo, hasta por las cosas más pequeñas, cuando hablamos y no podemos entendernos porque nos parece que hablamos dos idiomas diferentes o ya no sentimos el mismo interés. Es entonces cuando descubrimos que en realidad, sólo somos un par de extraños llenos de resentimiento y frustración, unidos por muchas obligaciones y deberes, con poco amor y menos pasión. ¿Qué sucedió? ¿Dónde quedó todo ese amor y la motivación que sentimos inicialmente?

Todos conocemos algunas parejas que a pesar de llevar muchos años juntos, parecen disfrutar enormemente de su relación, sonríen, se consienten, se comunican en un maravilloso lenguaje secreto que sólo ellos entienden, se consultan todo y están unidos por hilos invisibles que claramente podemos percibir. ¿Cuál será su secreto?

Reavivemos la llama del amor y comencemos a ser especiales con nuestra pareja. El primer paso consiste en conectarnos al sentimiento del amor que todavía conservamos; no tengamos miedo de entregar lo mejor de nosotros mismos, olvidemos el pasado negativo y los viejos resentimientos, decidamos perdonar como lo hacemos con los mejores amigos y darnos otra oportunidad. En poco tiempo, veremos que es posible recuperar y disfrutar del viejo amor.

¿Cuándo fue la última vez que dijiste "te amo"? Mira amorosamente a tu pareja y dile "te amo" varias veces al día; manifiéstale cada vez que puedas tu amor y cariño con palabras. El amor nunca se sobreentiende, debe ser reafirmado con frecuencia. Decir palabras afectuosas es una forma de hacer sentir al otro, amado y reconocido.

Expresemos el amor con caricias físicas. Sorprende a tu pareja con un fuerte y cálido abrazo, acaríciala, disfruta de tomarla de la mano, pásale el brazo por la cintura, junta las sillas en la cena, duermen pegadito, no temas expresar tu amor con el cuerpo.

Aumenta la admiración por tu pareja: Aprende a ser el más grande admirador de tu pareja, dile lo que te agrada de él o de ella, alábale su físico, su ropa, la comida que te preparó, sus logros... has que tu pareja se sienta una persona especial. Refuercen sus virtudes y logros, minimicen las fallas, disfruten y resalten lo positivo de los dos.

Comparte más tiempo con tu pareja: Disfruten de estar juntos, compartan sus sentimientos y aspiraciones, diviértanse y trabajen juntos por metas comunes, compartan sus éxitos y apóyense en los momentos difíciles. Que tu prioridad sea disfrutar de la relación; recuerda que el amor requiere atención y tiempo.

¿Recuerdas las últimas flores que llevaste a casa? Seamos detallistas con nuestra pareja. No es necesario que sea navidad, el cumpleaños o nuestro aniversario para regalarle algo especial; lo verdaderamente importante es hacer sentir querida a nuestra pareja. ¿Qué tal si hoy le sorprendes con una barra

de su chocolate preferido, una invitación a comer, una serenata sin motivo o simplemente le aligeras un poco su trabajo?

> **"Aunque estemos cansados, es fundamental tener detalles mutuos para reafirmarnos el sentimiento del amor".**

¿Sientes que te utilizan?

Tengo una amiga que mantiene una relación difícil con sus padres. Ella ya es adulta e independiente económicamente hablando, vive sola, pero los comentarios eventuales y negativos que le hacen sus padres, todavía le hacen daño. Conozco a otra persona adulta que se angustia cuando comete un error y se imagina lo que le dirá su pareja, cuando lo sepa. Es interesante preguntarnos cómo pueden algunas personas tener tanta influencia negativa sobre otras. Tal vez sea porque hemos aprendido a vivir a través o en función de otros, o simplemente porque estamos necesitados del afecto, la compañía, el reconocimiento o la ayuda que sólo ellos, creemos, pueden darnos... es entonces cuando les permitimos, sin ser concientes del todo, que nos hagan daño. La mayoría de las personas son más amables con los extraños que con los seres queridos y consigo mismos. Esto necesitamos cambiarlo.

¿Estás dando más de lo que recibes en tus relaciones? En realidad somos libres de actuar como queramos, pero ciertas personas eligen estar bajo el dominio de otras, otorgándoles el poder para manipularlas, controlarlas, dominarlas y afectarlas negativamente. Eres tú quien le concede el poder a otro para que te afecte, aunque la mayoría de las veces, la esclavitud proviene de las limitaciones que nos imponemos a nosotros mismos. Cuando una persona se desvaloriza y teme hacer prevalecer su opinión, generalmente termina siendo víctima de todo tipo de abusos. Recordemos que somos nosotros los que le enseñamos a los demás, cómo tratarnos.

Una vez que se han establecido las reglas del trato con alguien, cuesta mucho reeducarlo para que cambie de actitud. Generalmente el ser humano crea una imagen mental de cada persona y no vuelve a revisarla, sino que se relaciona con ella en función de esa información. Además, si el otro obtiene algún tipo de beneficio al manipularte, estará menos dispuesto a cambiar su actitud para liberarte. Quisiéramos que la otra persona se acostara a dormir y se levantara con una actitud diferente hacia nosotros, pero en realidad somos los únicos que podemos cambiar esa situación. Tómate el tiempo necesario para pensar en esta frase y luego reúne el valor suficiente para rescatar dignamente la esencia de tu libertad.

Ideas para que dejen de usarte:

Empieza a decir "no". Atrévete a decir "no" de vez en cuando y en cosas sin mucha importancia; hazlo sin justificarte y sin sentirte culpable. Recuerda que tienes derecho a elegir en todo momento.

Mira con firmeza y confianza. Comienza a mirar directamente a los ojos de los demás para transmitirles tu seguridad. Lo que dicen tus ojos en los primeros segundos, influye más que mil palabras. Recuerda que tu fuerza radica en el poder de la expresión corporal.

Ten las ideas claras en tu mente. Antes de hablar, revisa mentalmente tus ideas y los argumentos. Toda persona tiene derecho a expresar sus ideas y tú no eres menos.

Mantén tu postura centrada. Generalmente las personas abusadoras reaccionan de forma agresiva cuando se les acaba el juego. Debes estar preparado y recordar lo difícil de ese momento, para pasarlo y darle esa oportunidad. ¡Vamos, tú puedes!

Date permiso. Tienes derecho a querer lo que quieres, no necesitas que los otros te aprueben o te concedan el permiso para tenerlo. Las únicas personas con las que debes comunicarte y establecer acuerdos para lograrlo, son tus seres queridos y aquellos con los que compartes proyectos, negocios o compromisos ya establecidos.

Practica expresar lo que sientes. Elige una persona de tu confianza, que te quiera incondicionalmente y que desee lo mejor para ti y comienza por relacionarte con ella diciéndole lo que quieres o piensas y atrévete a manifestarle tus desacuerdos. Hazlo con respeto y poco a poco ganarás seguridad. Con el tiempo podrás hacerlo con otros.

Establece límites. Recuerda que tienes derecho a decir, “no te permito que me humilles más, no me merezco el maltrato que me das...”. Depende de ti, eres tú quien puede terminar con ese círculo vicioso que tanto daño te causa. Ten la suficiente dignidad para no permitirlo más y busca ayuda si no te sientes capaz de enfrentarlo solo.

"Eres una persona especial; concédete la oportunidad de relacionarte con los demás en mejores términos, sin permitirles que te hagan daño injustamente. La libertad de ser es un derecho Divino; la verdadera libertad hay que ganarla y reconquistarla cada día".

Aquieta tu mente

Cada noche luchamos tratando de apagar en nuestra cabeza los miles de pensamientos que cruzan por nuestra mente, haciendo que nuestros miedos y preocupaciones se vuelvan más grandes. ¿Cómo podemos dormir y descansar realmente de esta manera? ¿Eres consciente del monologo permanente que ocurre en tu mente?

Es importante apagar nuestra mente a ratos... La mayoría de las veces estás tan ocupado pensando en lo que ya pasó, que no puedes darte cuenta de lo que está ocurriendo ahora; otras veces tus pensamientos te llevan a preocuparte, imaginando todo lo que pudiera suceder mañana o la semana que viene, tratando de predecir mentalmente los eventos que ocurrirán en el futuro y que por esta misma razón te inquietan, sin que puedas hacer nada por evitarlos o resolverlos en este momento. Es común que te sientas cansado y agobiado a causa del excesivo trabajo mental que realizas pensando todo el tiempo, dándole vueltas a la misma idea, buscando una salida para resolver una situación que no está en tus manos, o recordando silenciosamente los detalles del momento difícil por el que estás pasando. Todo ese ruido mental dispara tus emociones y te quita la claridad que necesitas muchas veces para reconocer la salida. ¿Alguna vez has experimentado la necesidad de pensar menos y sentir más?

Cuántas veces sucede que llegas a tu trabajo sin recordar en qué momento atravesaste toda la ciudad para llegar ahí o sales de la ducha y te preguntas si te echaste shampoo. Tal vez has citado a tu pareja en un lugar y hora determinados y no llegas; luego tu pareja te reclama y tú aseveras que no tenías ningún compromiso. Estas son algunas de las situaciones que pueden ocurrir cuando no estamos atentos por causa de los muchos pensamientos que casi todo el tiempo llenan nuestra mente. Podemos volvernos tan mentales que nos desconectamos de lo más importante: nuestros sentimientos.

Cuando nuestra mente está completamente llena de información y conceptos, es imposible que entre algo nuevo. Aprender a aquietar nuestra mente significa incorporar a nuestra vida una parte de la información positiva que hemos acumulado a lo largo de nuestro aprendizaje personal significa hacer silencio interior para poder conectarnos con nosotros mismos y reconocer nuestros sentimientos, necesidades y anhelos, al mismo tiempo sentir y escuchar a los demás, sin prejuicios y sin condiciones.

¿Cómo bajar la velocidad de nuestros pensamientos?

1. Una vez que hayas tomado tu decisión, actúa sin temor. *Evita revisarla una y otra vez*

dándole vueltas en tu cabeza, confía en tu criterio y recuerda que el universo siempre conspira para que todo salga bien. Las decisiones sirven para liberarnos o ponernos en acción.

2. Enfoca tu atención en cada cosa que haces. *Cada vez que tu mente te lleve a pensar en algo diferente a lo que estás haciendo, tráela de nuevo reconociendo los detalles del sitio donde te encuentras, o de la tarea que estás realizando ahora. Deja de divagar y concéntrate mentalmente.*

3. Acepta lo que no puedes cambiar. *Cuando te sientas afectado por una situación que no está en tus manos resolver, practica el aceptarla ya que mientras más vueltas le des en tu cabeza, más angustia experimentarás. Prueba a usar tus pensamientos para encontrar la mejor manera de resolverla o delegarla si fuese responsabilidad de otra persona.*

4. Practica el concentrarte en tu respiración. *Cuando por unos minutos decides atender tu respiración, tomando aire por la nariz y botándolo por la boca, el ritmo de actividad mental baja. Con la práctica irás descubriendo que eres capaz de pasar más tiempo en silencio mental y con la claridad que te permita reconocer tus sensaciones.*

5. Vuélvete menos teórico y más práctico. *Trabaja internamente para convertir parte de la teoría que tienes acerca de cómo tener una vida plena, en nuevos hábitos y creencias que*

te lleven a transformar, poco a poco, de manera positiva, tu actitud y tu estilo de vida. Recuerda que son nuestras acciones las que reflejan nuestro verdadero crecimiento.

"Vamos, deja de pensar por un momento, descansa y renueva tus pensamientos, pues a ratos es importante disfrutar de los buenos momentos".

Olvidemos el dolor...

Un marido que nos maltrata constantemente, un padre que nos descalifica sin parar, un empleado que nos atendió de manera grosera, un burócrata que nos dice que no nos puede atender después de haber hecho fila por dos horas porque ya es su hora de almorzar, un amigo que nos dio la espalda en el momento en que más lo necesitábamos, un jefe que nos despide sin razón alguna, un profesor que nos hace perder la materia simplemente porque sí...

Ante injusticias como estas, nos amargamos y sufrimos de manera impotente, adoloridos por las heridas del maltrato pensando calladamente en lo que deberíamos haber dicho o hecho... La frustración y la idea de vengarnos nos obsesiona y este sentimiento se convertirá al final en rencor y resentimiento, envenenándonos por dentro y causándonos una herida profunda y difícil de sanar.

La venganza es entonces la única cosa en la que podemos pensar para aliviar nuestro dolor; el sólo pensar en cómo hacer que el otro pague por lo que nos hizo, nos convierte en personas agresivas. Darle vuelta en nuestra cabeza a todo lo que pudimos hacer o decir para evitar que sucediera, o hablar con otras personas acerca de ese dolor que sentimos, hace que nuestra herida emocional se mantenga abierta, haciéndonos mas daño.

Existe un remedio mágico, una efectiva y maravillosa herramienta que como por arte de encanto aliviará y sanará nuestras heridas: El Perdón.

Perdonar no es señal de debilidad o rendición, no significa aceptar que estábamos equivocados y que nuestro agresor tenía la razón; tampoco significa olvidar y liberar de la responsabilidad al otro. Perdonar significa sacarnos el veneno que corre por nuestras venas, liberarnos del recuerdo doloroso y entregarle a Dios la situación. Recordemos que la Divinidad es quien se ocupa de darnos a cada uno de nosotros, aquello que merecemos como consecuencia de nuestra actuación y sentimientos. "Errar es humano y perdonar es divino" dice el refrán popular. El perdón nos permitirá vivir de nuevo en paz y equilibrio, reconciliarnos con el pasado y seguir adelante.

El perdón es un regalo que nos hacemos a nosotros mismos, pues el revivir una y otra vez las ofensas perjudica nuestra alma y nuestro cuerpo.

Perdonar sí, olvidar no. No debemos olvidar las ofensas, porque son experiencias válidas e importantes que nos enseñan a protegernos de otras agresiones y también a no ofender a otros.

Comencemos con lo pequeño. Disculpar las ofensas pequeñas como al que se coló en la fila o al que te atendió mal en el supermercado, sirven para estar por encima de hechos más graves y difíciles de manejar en la vida, como son las heridas emocionales que nos causaron nuestros seres queridos cuando eramos pequeños. No vale la pena amargarnos y sufrir por cosas pequeñas.

Desahógate. Libera tu frustración conversando la situación con un amigo, familiar o consejero profesional. Que alguien nos escuche es una experiencia reconfortante. Si te sientes muy enojado puedes salir a correr o practicar boxeo con una almohada hasta quedar exhausto. Nunca conduzcas agresivamente, ni tires puertas o rompas cosas.

Escribe. Hazle una carta a la persona que te agredió. Describe lo que ocurrió sin culpar, ni juzgar y exprésale cómo te afectó. Dile que lo perdonas y que deseas cerrar la situación definitivamente. Si quieres, envíala, si no puedes porque no lo consideras conveniente, o porque la persona ya murió, o no sabes dónde está, quémala. Esta es una forma simbólica de convertir la ira en humo y la situación en cenizas.

Escucha. Si te encuentras con tu agresor, no te cierres, escúchalo serenamente sin interrumpir y así podrás ver la situación desde otro punto de vista. Trata de ser tolerante, serenamente evalúa de nuevo la situación, y sobre todo, no te muestres nunca agresivo. Puede ser el inicio para el entendimiento y la conciliación.

"Muchas veces creemos erróneamente que el rencor ayuda a compensar en cierta forma, la impotencia que sentimos

cuando nos hieren. Perdonar es una oportunidad que cada uno de nosotros puede darse; merece el esfuerzo, pues hacerlo nos infunde una sensación de bienestar y nos conduce a la paz interior. Decide ser libre ahora y asómate al sol de la vida".

En busca del príncipe azul

Es común que desde muy niñas soñemos que cuando seamos grandes, encontraremos un hermoso príncipe azul que nos llevará en su caballo blanco a un castillo, donde viviremos y seremos felices para siempre. Aunque nos enseñen más tarde que debemos realizarnos y ser felices por nosotras mismas, sin necesidad de tener un hombre a nuestro lado, los cuentos de hadas y también las telenovelas nos alimentan la fantasía de encontrar algún día, aquel príncipe valiente que nos rescate de la pobreza y la soledad y nos entregue su amor eterno.

Tengo varias amigas solas que esperan conocer a una persona especial, con quien compartir su vida... La preocupación por no tener una pareja les aumenta la probabilidad de caer en depresión, debilita su autoestima y les debilita la confianza personal. Algunas mujeres piensan que algo anda mal en ellas; otras, que los hombres se han vuelto muy difíciles porque no quieren asumir un compromiso y lo único que esperan es pasar un buen rato. Para algunas, se ha convertido en una prioridad conseguir a esa persona con quien relacionarse sentimentalmente y ojalá para toda la vida. La preocupación por no tener novio distorsiona nuestra apreciación de la vida y nos puede llevar a tomar decisiones equivocadas, como comprometernos con alguien a quien no amamos.

Recordemos que cada uno de nosotros atrae hacia sí a una persona afín con su personalidad. Algo tenemos que aprender de cada una de las relaciones que hemos tenido con la intención de madurar, cambiar algunas de nuestras actitudes, hábitos y programaciones negativas, para que podamos estar listos para entregar y recibir el amor ideal. No es sano tratar de llenar un vacío existencial diciéndole sí a una persona a quien no amamos, sólo por sentirnos acompañados. Recuerda que de esta manera mantienes ocupado el lugar que podría llenar una persona diferente y al mismo tiempo estas causándole daño a esa pareja, a la que haces creer que amas. Comienza por quererte a ti misma, ocupa tu soledad haciendo aquellas cosas que te llenan y dedícate a trabajar internamente para convertirte en esa persona ideal que esperas atraer por afinidad. No te involucres en relaciones que te hacen daño, que atenten contra tu dignidad o que te hagan causarle dolor a otra persona que no lo merece. ¡Tienes derecho a un amor limpio y pleno!

1. Vive el momento: Disfruta de tu soltería mientras puedas. Dedícate a realizar actividades que te apasionen como hacer deporte, estudiar esa carrera que siempre quisiste, salir con tus amigos, disfrutar de tu libertad y juventud. Relájate, no tienes que preocuparte por conseguir pareja. Hay un tiempo para todo.

2. Conviértete en ideal. Te has preguntado alguna vez, si eres tú la princesa soñada para el príncipe azul que esperas que llegue a tu vida. Si él pudiera verte en este momento, ¿lo cautivarías como eres? Para tener una pareja ideal, debes convertirte primero en ese ideal que buscas. Siéntete bien contigo misma, dedica tiempo a conocerte, supérate y busca independencia emocional.

3. No te apresures. No te desesperes por establecer una relación definitiva con alguien; dale tiempo al tiempo. Aprende a conocer a tu amigo sin apurarte a adquirir un compromiso y vive cada una de las etapas de la relación. Te puedo garantizar que si rechazas algo que no es lo mejor para ti en este momento, recibirás más adelante lo que quieres y mereces.

4. Busca primero tu independencia. Algunas mujeres pagan un precio emocional muy alto al estar con una persona que no quieren, sólo para que las mantengan económicamente... Edúcate, aprende algún oficio o profesión que te guste. Tu éxito y felicidad en la vida, no depende de otro, sólo depende de ti. Es placentero saber que estamos con una persona por amor verdadero. Además siempre estás a tiempo para prepararte.

5. Ten paciencia, dale una oportunidad a la vida. La vida conspira para hacerte feliz, siempre está de tu parte; dale la oportunidad para que te entregue lo mejor. No tomes lo primero que aparezca en el camino; eres una persona especial y mereces tener a alguien que te respete y te quiera tanto como tú estés dispuesta a entregar.

"No esperes, hallar una persona dispuesta sólo a dar sin recibir; la relación de pareja se mantiene gracias al intercambio permanente que estimula el amor que existe entre los dos".

Vivir con otros

Vivir en comunidad implica saber relacionarnos con otros que también comparten con nosotros el mismo lugar. Es importante despertar a una conciencia colectiva, a través de la cual, cada uno de nosotros comience a trabajar individualmente por el bienestar de los demás. La relación más cercana después de la familiar es la que podemos establecer con los vecinos... ¿Has pensado alguna vez acerca de la importancia que tienen tus vecinos en tu vida cotidiana, especialmente si son buenos?

En realidad ser buenos vecinos significa que juntos podemos construir un espacio a salvo para nuestros hijos y para cada uno de nosotros, como una extensión de nuestro espacio familiar, donde a través de la participación responsable y entusiasta de todos, podamos darle solución a algunos de los problemas o necesidades que tenemos dentro de la comunidad, la urbanización o el sector donde habitamos.

Algunas veces nos encontramos rodeados de personas poco amistosas que no experimentan el mismo deseo de establecer un vínculo sano de amistad y fraternidad. Entonces, el respeto a nuestras diferencias y elecciones, nos permitirá aceptarlos y no afectarnos por su comportamiento. Casi siempre sucede que con el paso del tiempo alguna de estas personas reflexiona y decide cambiar su comportamiento.

¿Cómo lograr buenas relaciones con los vecinos?

Receta 1. *No te fijes en lo que tus vecinos tienen diferente de lo que tienes tú.* La envidia puede convertirse en una enfermedad que nos afecte hasta el punto de inducirnos a realizar acciones agresivas o equivocadas contra las personas cercanas a nosotros. No olvidemos que será la vida quien siempre nos devuelva lo que hicimos a otros, aunque nos sintamos justificados en nuestra acción.

Receta 2. *Sé amable y saluda.* Es posible que al salir con mucha prisa, consideres que no tienes el tiempo para detenerte y saludar a algún vecino. Procura en lo posible realizar un ademán de saludo, un cambio de luces o simplemente un toque breve de bocina, esto hará que tus vecinos respeten tu prisa y se sientan reconocidos.

Receta 3. *Muéstrate servicial y solidario.* Cuando alguna persona vecina requiera de tu ayuda en cualquier escala, muéstrate siempre dispuesto a colaborar y hazlo con buena cara y disposición. No sabemos en qué momento podamos necesitar la ayuda de esa persona o de otras.

Receta 4. *Comparte con frecuencia.* Escoge momentos de calidad que te permitan acercarte a tus vecinos con la participación en una actividad. Comparte tu mesa con aquellos más cercanos y detente cuando puedas para conversar aun brevemente, con un vecino que encuentres afuera. El intercambio de palabras amables y atentas alimenta nuestra relación.

Receta 5. *Establece acuerdos y soluciones*. Cuando experimentes desacuerdos o malentendidos con algún vecino o amigo, personalmente habla con él o con las partes involucradas, para expresar tus sentimientos y planteamientos al respecto. Evita el rumor, el chisme o el comentario negativo con terceros.

Mantener en todo momento la actitud de solucionar y sanar los conflictos, fortalecerá las relaciones entre todos.

Receta 6. *Respeta la intimidad y el derecho de los demás*. Inmiscuirnos en la vida de otro puede dar comienzo a disputas que terminen por alejarnos. Acercarnos a otros para compartir y estar abiertos para apoyar en lo difícil y doloroso, es la mejor actitud. Permite que cada quien haga con su vida aquello que desea, sin involucrarte, especialmente de forma crítica o negativa; así te ganarás el mismo derecho a ser respetado por los demás.

Sugerencias:

- *Alégrate por todo lo bueno que le sucede a otros, especialmente si son personas cercanas a ti.*
- *Ten detalles frecuentes con tus vecinos; manifiesta tus sentimientos de fraternidad y*

agrado por su presencia en tu vida. Evita la comodidad o la pasividad, pues éstas pueden deteriorar las relaciones con los demás.

- *Practica la lealtad. Ella genera confianza y así obtenemos la sensación de seguridad para entregar nuestra amistad.*
- *Llámalos por teléfono de vez en cuando sólo para saludar.*
- *En época de festividades, haz alguna actividad especial e invítalos a participar. Si recibes una negativa a tu iniciativa, no te resientas, tal vez no pueden hacerlo pero seguramente habrá otra oportunidad.*
- *Siente amor por todos ellos, especialmente por aquellos que te hayan afectado de alguna manera. El amor es la energía más fuerte que hay para disolver cualquier efecto negativo en nosotros y en los demás; perdónalos, inclusive si decides poner límites entre tú y ellos. Experimentar amor por alguien que te ha herido es la forma más rápida de sanar y transformar las heridas y las consecuencias de la situación.*
- *No olvides estar dispuesto siempre a hacer por ellos lo que esperas que hagan por ti en cualquier momento.*
- *Recuerda que tu cara es el reflejo de tus pensamientos. Un rostro apacible, especialmente en el momento de ayudar a otros, hará que no sientan angustia de contar con nosotros.*

- *Evita los enfrentamientos y busca la comunicación y el entendimiento en todo momento.*
- *Establece límites si fuese necesario, para no afectarte por el comportamiento negativo que pueda alguien tener en cualquier momento.*
- *Si encuentras que tus vecinos no sienten el deseo de compartir o intercambiar contigo en buenos términos, supera la tristeza que puedas experimentar, sacude de tu cabeza todos aquellos pensamientos negativos al respecto, concentra tu atención en el presente, en lo que tienes, en quien eres, en quienes viven contigo, y en la presencia de Dios en tu corazón y sonríe... pues acabas de darte cuenta de todo lo maravilloso que tienes en tu vida para ser feliz. Con este sentimiento podrás aceptarlos y amarlos.*

"Ser buenos vecinos implica extender nuestro espacio familiar para compartir lo mejor de nosotros. La amabilidad, el respeto a los derechos y las diferencias personales, la solidaridad que implica estar dispuestos a apoyar a los otros cuando lo necesitan, el buen trato y el intercambio de detalles que sirvan para expresar el afecto, nos permitirán establecer con el tiempo un vínculo de amistad perdurable. Muchas veces los vecinos son personas que nos acompañan a vivir por largo tiempo y por tanto, se imponen las buenas relaciones y el entendimiento para solucionar desacuerdos o malos entendidos. El interés de los unos por los otros sin que esto signifique inmiscuirnos en la intimidad, nos hará sentir bien acompañados".

Renueva tu fuerza interior

Aprende a recargar tus baterías, (tus energías) especialmente cuando te sientas cansado por exceso de actividad física, por mucho trabajo mental o simplemente porque te hayas sentido muy afectado emocionalmente. Muchas veces son los procesos emocionales los que nos producen mayor desgaste.

A veces ocurre que te sientes cansado de dar, dar y dar sin recibir algo a cambio. Llegas a perder el deseo de entregar lo mejor y consideras que te han usado; es entonces cuando experimentas una pérdida de entusiasmo y motivación. Otras veces, por haberte enfrentado a un gran temor, al final del proceso te sientes como desubicado, con una pérdida temporal del norte en tu vida y con un profundo deseo de ser protegido por alguien. También puede suceder que te sientas agotado, producto de haber pasado por un conflicto emocional o por la toma de una decisión trascendente en tu vida, en cuyo caso la lucha que se desarrolla dentro de nosotros es devastadora. Lo que en realidad necesitamos en ese momento es el descanso, el cual podemos obtener sintiéndonos queridos y comprendidos por alguien especial para nosotros. Cualquiera de estos procesos, incluyendo el exceso de trabajo físico, podría ser la causa de tu agotamiento y el factor que te lleve fácilmente a una depresión. ¡Es tiempo de recuperar las fuerzas perdidas!

¿CÓMO RECARGARNOS INTERNAMENTE?

Receta 1. *Dedica parte de tu tiempo a descansar.* ¿Sabías que renovarse y reponer las fuerzas perdidas no es perder el tiempo? Muchos de nosotros estamos programados para agotarnos, sin que podamos con facilidad darnos permiso para parar un momento y descansar. Una mente "deberista" considera que incluir momentos de disfrute, descanso o relax puede ser más negativo que positivo... ¡Cuidado!

Receta 2. *Toma la decisión de recargarte.* Distrae tu mente, vete al cine o al teatro, cambia de actividad, date una caminata, o realiza un viaje; cambia de lugar físico por un rato; alimenta tu espíritu a través de la oración o de la meditación; realiza la lectura de un buen libro o simplemente ten contacto con la naturaleza para respirar, contemplarla y aquietarte. Todo esto te hará recuperar la confianza, la fe, el optimismo y la alegría de vivir. ¡Adelante!

Receta 3. *Abre una ventana en tu vida para que el amorcito que otros sienten por ti aligere tus penas y le dé color a tus días.* Es posible que te hayas sentido poco querido o tomado en cuenta por los tuyos últimamente. Si es así, revísate silenciosamente y tal vez descubras que lo que los mantiene alejados de ti es tu actitud. Cuando estamos cansados, preocupados o agobiados, solemos tener una expresión adusta, hablamos poco o estamos continuamente a la defensiva. Estás a tiempo de ajustar tu actitud y expresión corporal, de manera que muestres el deseo de abrirte al apoyo y presencia de aquellos que quieren tu bien.

Receta 4. *Cambia de actividad por un tiempo.* Aunque pueda parecerte increíble, un cambio de actividad por un rato hará que desconectes tu mente de aquello que te presiona y además, te sentirás renovado en tu capacidad. Por ejemplo, si tienes mucha actividad mental podrías elegir una actividad física que sólo implique el uso de tu fuerza y sentido común. Pero si lo que has tenido es una gran actividad física, escoge alguna mental, como resolver situaciones, jugar con videos, poner atención amorosa en tus hijos, leerles un cuento o tener una conversación con ellos. Aquellos que han experimentado un proceso emocional fuerte, pueden realizar algo con las manos como sembrar plantas, trabajar con la arcilla, pintar, cocinar o dejarse acariciar por un ser querido. Como ves, lo más importante es tu apertura y decisión de recuperarte con la misma entrega con la cual realizas tus actividades...

Sugerencias:

- *Esta semana tomate un par de horas para ti, date un baño de tina con aceites esenciales, vete a la peluquería, date un buen masaje o simplemente quédate en la cama durmiendo o viendo televisión.*
- *Déjate invitar, sin peros, por tu pareja o por un buen amigo a ver una película, una obra de teatro o simplemente a comer fuera.*

- *Si eres de los que siempre toman decisiones al momento de salir, date permiso para aceptar o pedir las sugerencias de otros... Déjate llevar y experimenta descanso.*
- *Suelta aquel recuerdo que te atormenta. Decide no pensar más en eso, para lo cual te sugiero entretener tu mente.*
- *Escucha la música de tu elección, aquella que te hace descansar, inclusive déjate llevar por su ritmo y baila. Aunque te encuentres en tu casa, la música produce efectos muy positivos en tu recuperación.*
- *¿Cuánto tiempo hace que no te tomas un momento para hacer aquello que te hace descansar? Hoy puede ser ese momento; invita a tu pareja a participar de un rato de disfrute y pídele que olvide por ahora los deberes, las cosas pendientes, las críticas, los juicios y el "no se puede". Seguramente disfrutarán y decidirán repetirlo.*

¡Levántate!

Aprende a superar las pérdidas y renueva tu confianza en la vida. Centrar tu atención en las pérdidas y los fracasos que has experimentado, significa que la tristeza, el dolor y el resentimiento que sientes a través del recuerdo del pasado, nublan tu mente, impidiéndote observar lo bueno, lo noble y lo bello que también está ocurriendo en el presente.

Pensar en tus pérdidas y aferrarte a ellas hace que pierdas el sentido y la motivación en tu vida. Hace que te vuelvas crítico y duro contigo mismo y a veces con los demás. Aparece el miedo a perder, a no ser capaz de levantarte para comenzar de nuevo o simplemente, el temor que te hace incapaz de aceptar la realidad.

No importa lo que haya sucedido, ni que hayas hecho, todo esto forma ya parte de tu pasado. Lo verdaderamente importante es lo que vas a comenzar a pensar, sentir y actuar desde ahora!

¿CÓMO VOLVER A COMENZAR?

Receta 1. *Comienza por confiar de nuevo en ti.* ¿Eres capaz de recuperar la confianza en la vida?

Recuerda que todo lo que sucede tiene siempre un significado y encierra una lección, aun cuando en este momento no puedas verlo. Apréndelo con cierto dolor. Date tiempo...

Receta 2. *Confía en lo que sientes ahora, en tus ideas, en tus capacidades y en tu valor para restaurar la armonía y el bienestar en tu vida*. Después de todo, la vida nos enseña a confiar y a estar abiertos a los cambios y a la transformación. Por esto, es muy importante abrirnos poco a poco para percibirlo.

Receta 3. *Trabaja la aceptación*. No importa cuán duro e injusto haya sido lo que viviste, acéptalo para que puedas salir de su recuerdo. El dolor hace que nos neguemos a aceptar lo sucedido y al mismo tiempo produce una ceguera y sordera espiritual que dificulta que hagamos algo efectivo por salir de él. Acéptalo porque no hay nada que puedas hacer por borrarlo o disolverlo, si está ahí, frente a ti. Pregúntate: ¿Qué puedo hacer para solucionarlo? ¿Para liberarme? ¿Para aliviar a otro? ¿Para perdonar? La respuesta responsable y madura a tu situación te dirá cuál es el primer paso a dar.

Receta 4. *Tómate el tiempo para sentir tu dolor o afectación*. Forzarte a continuar como si no hubiese pasado nada, hará que en el momento más inesperado simplemente estalles o te apagues. Así que tómate tu tiempo para llorar, para sentirte mal, para renegar, en fin, para experimentar y manifestar tu afectación. Recuerda no alargar mucho el tiempo del dolor, ponte un límite y a partir de ese momento, inicia tu recuperación. ¡Luego de todo final, viene un comienzo!

Receta 5. *Suéltalo*. Soltar significa que poco a poco vas poniendo tu atención en otras situaciones y dejar de estar mentalmente aferrado a través del recuerdo a la anterior, llena de conflicto o de dolor. Distrae tu mente y comienza a soltar mentalmente.

SUGERENCIAS:

- *Lee libros que estimulen la alegría de vivir, lecturas positivas y enriquecedoras del espíritu.*
- *Aléjate por un tiempo de aquellas personas que sin intención o con ella, te recuerdan lo vivido.*
- *No te quedes solo por mucho tiempo. La compañía de personas alegres y optimistas hace que te distraigas y le digas adiós al dolor.*
- *Recuerda que la historia de personas exitosas está hecha de infinidad de fracasos... Así que, adelante. No importa cuántos intentos tengas que hacer, estoy segura de que en el instante perfecto lo lograrás.*
- *Piensa que tal vez esa persona o esa situación no era para ti. No te cierres, pues es posible que llegue la persona o la situación ideal y te encuentre cerrado.*
- *Da Gracias... Sí, yo sé que te parecerá algo imposible de hacer, pero yo aprendí que todo lo que llega a nuestras vidas tiene un sentido positivo. Cuando lo comprendemos, reconocemos la presencia de Dios en nosotros,*

fortalecemos nuestra Fe y nos reconciliamos con el sentido esencial de estar vivos: ¡Crecer y realizarnos!

"Eres una creación perfecta de Dios; tú puedes levantarte de esta o de cualquier otra situación para comenzar de nuevo".

Colócate en el lugar del otro

Colocarte en el lugar de otra persona implica ser uno con el otro por un instante, para saber cómo siente y piensa, a diferencia muchas veces de lo que nosotros creemos o interpretamos acerca de ellos.

Estar en el lugar del otro, de vez en cuando, especialmente cuando vas a criticarlo, evitará dejarte llevar por la reacción y cometer una equivocación.

Hoy pensaba que eliminar la crítica y el juicio de nuestra vida diaria es una tarea difícil de realizar, especialmente si has sido formado en este principio. Al mismo tiempo, reflexionaba en lo pacifica que se tornaría nuestra existencia si lo lográsemos. Piénsalo por un momento... ¿Estás de acuerdo?

Siempre es más fácil ver desde afuera los errores que cometen los demás, pues estamos enseñados a fijar nuestra atención en otros y no en nosotros mismos. Algunas veces la actitud crítica se vuelve un hábito difícil de concientizar; otras veces son la rabia, el dolor, la frustración, la envidia o los celos la fuente de motivación para criticar duramente al otro, sin darnos cuenta que ignoramos una de las leyes que preservan el equilibrio en el universo, la ley de acción y reacción. Ésta es la causante de que todo lo que hagamos o entreguemos a los demás, nos sea devuelto siempre incluso con mayor intensidad en casi todos los casos. De esta manera la vida nos permite aprender al experimentar en nosotros mismos las consecuencias de nuestra forma de actuar.

¿CÓMO PONERNOS EN EL LUGAR DEL OTRO?

Receta 1. *La próxima vez que sientas las ganas de hacer algún comentario negativo acerca de alguien*, detente y reflexiona: ¿Puedes con tu comentario mejorar su actitud o comportamiento, darle solución a esa situación o evitar un conflicto o un enfrentamiento posterior? Si la respuesta es no, detente; puedes causar más daño que bienestar. Si la respuesta es sí, entonces escoge el momento y las palabras que usarás para compartir con ellos tus sugerencias dirigidas a construir y aportar.

Receta 2. *Aprender a respetar a otros*. Esto nos ayudará a permanecer en silencio más tiempo y de esta manera podremos concentrar nuestra energía y atención en la tarea de encontrarnos y aceptarnos a nosotros mismos.

Receta 3. *Evita criticar a otros, especialmente si son tus seres queridos.* En su lugar practica el respeto, el silencio y el amor, amplía tu capacidad de comprensión y obtendrás de vuelta lo mismo para ti. Si consideras que tienes algo que aportar con amor para mejorar la calidad de vida del otro, escoge las palabras y el momento para compartir con él tu inquietud, evita el juicio o la violencia y procura tu mejor tono y expresión agregando que sólo quieres compartir tus consideraciones con el deseo de que puedan servirle, independientemente de ti.

Receta 4. *Recuerda con frecuencia tus sentimientos y pensamientos de cuando fuiste niño.* Hacerlo te ayudará a ser más comprensivo y asertivo con tus hijos. Muchas veces tenemos con ellos actitudes que tuvieron nuestros padres cuando éramos pequeños y que nos causaron dolor y vacío. Acompaña a tus hijos a vivir con amor, amistad, solidaridad y seguridad. Esto hará que crezcan seguros y queridos a tu lado.

Receta 5. *Evita dejarte llevar por tus suposiciones en el momento de reconocer la posición de otra persona.* Muchas veces establecemos una imagen mental de la persona con todas las características que le conocemos, y en función de esta información creemos saber quién es, qué siente o qué necesita... Es importante aprender a concederle el espacio y el derecho a expresarse individualmente, de manera que nosotros podamos extender nuestra comprensión hacia su comportamiento sin prejuicios.

SUGERENCIAS:

- *De vez en cuando pregúntale a tu pareja si se siente a gusto contigo y qué le gustaría que tú mejoraras. Guarda silencio mientras te responde, no te pongas a la defensiva, escucha y dile que te tomarás un tiempo para reflexionar al respecto.*

- *Pregúntate con frecuencia y silenciosamente si te gustaría ser tratado como tú tratas a alguna persona en particular. Es bueno que te respondas honestamente y sin justificar tus actitudes o acciones.*
- *Antes de dejarte llevar por la reacción, cuando alguien comete un error, piensa en el otro y extiende un poco más tu compresión para aceptar o reconocer su situación o limitación.*
- *Toma en cuenta la presencia amorosa y silenciosa de otros a tu lado. Reconócelos, agradéceles o ten un detalle especial con ellos. Sabernos apreciados por las personas que amamos, o por las personas a las que servimos, puede aumentar nuestras ganas de continuar haciendo lo mejor.*

"Camina por la vida suavemente para no herir a otros y al mismo tiempo hazlo con firmeza para dejar una huella, producto de tu diferencia".

Mereces una recompensa

Aprende a recompensarte con frecuencia. Muchos de nosotros crecimos en familias donde nadie nos recompensó por comportarnos bien; no nos amaron incondicionalmente a pesar de que hicimos el esfuerzo de ser y dar lo mejor de nosotros en todo momento. Independientemente de que no te hayan reconocido o premiado por tus logros y esfuerzos en el pasado, hoy tomarás la iniciativa de recompensar a la persona más importante: Tú.

A veces intentamos levantarnos por encima de ese recuerdo poco agradable y encontramos que la mejor manera de hacerlo es reconociendo, agradeciendo o recompensando a otros. Pero es también muy importante aprender a recompensarnos a nosotros mismos y no es suficiente con sentirnos mentalmente bien por lo que hacemos y como lo hacemos; hace falta premiarnos, darnos un poco de gusto de vez en cuando. ¿Cuánto tiempo hace que sueñas con algo, por ejemplo, viajar a un lugar en particular, asistir a algún evento especial, cenar en un buen restaurante, adquirir un nuevo equipo de sonido o un televisor? ¿Cuánto más necesitas hacer, para creer que te lo mereces? ¿Para cuándo lo vas a dejar? ¿Cuánto tiempo más lo vas a postergar? Quizás ahora sea ese momento oportuno que estabas esperando para tenerlo... ¡No esperes a que otros te sorprendan... decide ahora mismo!

Hacer felices a los que amamos es una labor muy bella, pero decir que nuestra felicidad es el producto de la felicidad de otros, puede ser equivocado.

Fuimos enseñados a complacer a otros, a pensar en otros, en lo que necesitan, lo que desean y lo que les daría gusto tener. Es posible que estemos dispuestos a realizar cualquier esfuerzo o sacrificio para complacerlos y sentir que somos felices cada vez que podemos hacerlo. Entonces es muy importante que aprendamos a hacer lo mismo con nosotros. ¿Sabías que a falta de ser recompensado, nuestro espíritu comienza a sentir vacío, tristeza y cansancio?

¡Vamos! Has sido un guerrero de la luz, has librado cantidad de batallas en busca de una mejor vida para los tuyos y para ti. ¡Por esto, te mereces un descanso y una recompensa!

¿CÓMO PUEDO APRENDER A RECOMPENSARME?

Receta 1. *Evita sentirte víctima de los demás*. Deja de esperar a que sean otros quienes te recompensen por un día bueno o por una vida bien vivida. Vive limpia y honestamente por convicción y hazlo incluso si descubres que los otros estaban de espalda y no te vieron en ese momento.

Receta 2. *Recompénsate a menudo*. Hazlo cuando hayas realizado una tarea especial o cuando hayas alcanzado un logro, cuando te sientas agotado al terminar de enfrentar y vencer alguna dificultad, cuando te sientas en un proceso de recuperación. Hazlo cuando te sientas fuerte, paciente y comprensivo, por estar dispuesto a dar lo mejor de ti a otros, especialmente si es una conducta nueva en ti. Hazlo también por haber realizado todo lo que te correspondía y un poco más. Por cualquiera de estas razones, regálate aquello que tanto deseas o simplemente concédete la oportunidad de disfrutar un momento especial.

Receta 3. *Realiza un inventario de todo lo vivido por ti.* Al recordar y revisar algunos de los momentos que viviste con dolor o con dificultad, te será sencillo apreciar tu esfuerzo, perseverancia y dedicación. Conéctate también a los momentos gratos que has experimentado para sentirte satisfecho e internamente fortalecido

Receta 4. *Aumenta el aprecio hacia ti mismo.* Es posible que necesites fortalecer tu autoestima un poco debilitada por alguna de las situaciones que has vivido. Es importante comenzar por reconocer tus actitudes y gestos positivos, además de estar atento para darte cuenta de tus características especiales.

Sugerencias:

- *Abre tu corazón y date permiso para disfrutar y gozar de aquello que decidas regalarte.*
- *Convierte el recompensarte con frecuencia en una actitud.*
- *Cuida tu ego y no te permitas, en un momento de recompensa, ignorar a otro o llevártelo*

por delante irrespetando su derecho, presencia o participación.

- *Es posible que te cueste un poco decidir qué regalarte o cómo recompensarte. Puedes comenzar por decidir lo que no quieres para ti... poco a poco verás cómo se clarifica tu visión interior.*
- *Date una palmadita de vez en cuando.*
- *Tómate un rato para relajarte y disfrutar la vida.*
- *Elimina las frases negativas y críticas hacia ti mismo.*

Claves para vivir mejor

Gran parte del malestar que a menudo sentimos es el resultado de tener unos hábitos poco saludables y de mantener una actitud negativa frente a la vida. Aceptarnos a nosotros mismos, ganar más autoconfianza e introducir algunos cambios en nuestra rutina diaria pueden ser la clave para recuperar la fortaleza, la vitalidad, el optimismo y la motivación para disfrutar de una vida plena. Establecer un contacto honesto con nosotros mismos, nuestra pareja, la familia, los amigos y hasta los desconocidos, nos llevará a disfrutar más el diario vivir.

No necesitamos sufrir para reconocer que estamos vivos. Es importante hacer un alto en nuestro camino para conectarnos con nuestro cuerpo, vivencias y sueños. Sentirnos bien anímica y físicamente no depende tanto de nuestra edad *como de la actitud y la motivación que tengamos para experimentar la vida.*

¿Cómo recuperar nuestra calidad de vida?

Receta 1. *Conduce tu vida*. Recuerda que nadie puede hacer más por nuestro bienestar, que nosotros mismos. Asume la responsabilidad de salir adelante, deja de esperar a que otros carguen contigo y decide hacer cuanto sea necesario para triunfar.

Receta 2. *Busca el lado positivo de las cosas.* Enfrenta con una visión optimista y positiva, todas las situaciones que se presenten en tu vida; esto hará que los momentos difíciles sean más llevaderos y fáciles de resolver.

Receta 3. *Cultiva a tus amigos.* Los amigos muchas veces se convierten en la extensión de nuestra familia. Encuentra el tiempo para compartir con ellos, hazles sentir que pueden contar contigo. Los detalles, las frases amables y el apoyo incondicional nos ayudan a reconocer la amistad.

Receta 4. *Reconoce tus debilidades.* Querer ser el mejor en todo, puede ser el camino más corto para experimentar la frustración. Reconoce las áreas débiles de tu personalidad y fortalécelas; cuando aceptas tus limitaciones y potencias tus capacidades te sientes más a gusto contigo mismo.

Receta 5. *Haz cosas divertidas.* Romper con la rutina de vez en cuando, dejándonos llevar por un impulso sano, dará color a nuestra vida. No seas tan rígido, date permiso para hacer cosas diferentes y divertidas, pero si no se te ocurre algo, déjate llevar por la creatividad de tu pareja.

Receta 6. *Mantén el contacto con la naturaleza.* Esta es una fórmula mágica para controlar el estrés y recuperar tu equilibrio emocional. Pasa momentos al aire libre, ve a un parque o a la playa. Abraza un árbol imaginando que le entregas todas tus preocupaciones y quédate así hasta que te sientas aliviado.

Receta 7. *Cuida tu relación de pareja.* No permitas que el estrés que te causan las situaciones externas, afecte tu relación de pareja. Las frases amorosas, las caricias, la intimidad, la diversión compartida, el respeto y la comunicación son algunas de las claves para mantener el amor y fortalecer la relación.

Receta 8. *Haz ejercicio.* Dedica de 30 a 45 minutos a realizar algún tipo de actividad física, al menos tres veces a la semana. El ejercicio eleva el ánimo y gracias a la emisión de endorfinas, baja el estrés, libera la tensión y recupera la vitalidad. Al mismo tiempo te ofrece la posibilidad de compartir con tu pareja o con tus hijos un rato de diversión e intimidad.

Receta 9. *Aprende a disfrutar los pequeños placeres de la vida.* Disfruta cuando te das una ducha de agua templada, siente el sol sobre tu cara por unos minutos, oye tu música preferida... Hay cantidad de pequeños placeres que pueden hacerte la vida más liviana.

Receta 10. *Comparte tiempo con tus hijos.* Ellos crecen muy rápido. Encuentra momentos de calidad para acompañarlos, conversar con ellos y acariciarlos; interésate en sus asuntos y acompáñalos para que vivan sus propias experiencias. Recuerda que tus palabras de reconocimiento, aceptación, respeto y amor significan todo para ellos.

Receta 11. *Recuerda que todo pasa.* No vale la pena sufrir por una situación difícil. Muchos de nuestros problemas son producto de nuestros miedos... Todos los males son pasajeros. Llénate de valor, optimismo y confianza para mirar hacia el futuro de una forma positiva.

“Conéctate con Dios. Cierra los ojos por unos minutos y reconoce la presencia de Dios en tu interior, agradécele por todos sus regalos y pídele por aquello que te haga falta para afrontar y disfrutar la vida. Llénate de su presencia y tradúcelo en amor, seguridad, fortaleza, sabiduría, autenticidad, valor, responsabilidad y alegría para vivir mejor cada día”.

Deja de esperar y comienza a actuar

Tengo un amigo que en este momento se encuentra atravesando una situación muy difícil, sin trabajo y sin dinero ni para cubrir sus gastos básicos, está esperando a que un compañero que le ha prometido un puesto, se lo consiga. Pero el tiempo pasa y no sucede nada. La última vez que hablé con él, se notaba muy preocupado pero seguía quieto, esperando la llamada del amigo.

Pensando cómo podía apoyarlo, me hizo recordar que muchas veces cuando estamos enfrentados a situaciones difíciles, nos sentimos tan atemorizados que nos paralizamos; otras veces simplemente ya no sabemos qué hacer y nos quedamos quietos esperando a que algo ocurra, para que se resuelva la situación como por arte de magia. Es así como dejamos pasar el tiempo con la falsa ilusión de que todo se resolverá en algún momento, sin darnos cuenta que de esta manera, la situación se complicará y será cada vez más difícil de resolver.

Día a día encontramos en nuestro camino obstáculos grandes y pequeños que debemos aprender a superar y resolver, sin dejarnos afectar por las circunstancias. No vale la pena auto-engañarnos aplazando la solución del problema, ni tampoco malgastar energía innecesariamente sufriendo o amargándonos a causa de una situación que también va a pasar.

La vida no es una lucha, es un desafío que constantemente nos lleva a superarnos a nosotros mismos, en la medida en que afrontamos las situaciones cotidianas, ante las cuales solo tenemos dos opciones. La primera consiste en quedarnos estáticos, lamentándonos de nuestra mala suerte, quejándonos sin hacer nada por cambiar las cosas, exagerando el problema, reforzando lo complicado y difícil de la situación que enfrentamos y contribuyendo con nuestra actitud a que la situación se convierta en un enorme problema por resolver. La segunda consiste en usar nuestro buen criterio, producto de nuestras experiencias anteriores, revisando nuestros aciertos y también nuestros errores para no volver a cometerlos y, lo mas importante, manteniendo una actitud entusiasta y optimista, seguros de que encontraremos la mejor vía para resolverlos.

Tenemos que desarrollar la confianza en nosotros mismos y creer que a pesar de que los obstáculos no son fáciles de afrontar, el universo siempre conspira para ayudarnos a superarlos. Siempre se abrirá una puerta y habrá una mano amiga dispuesta a apoyarnos. Es importante pensar que cualquiera que sea la situación que se nos presente, podremos afrontarla y resolverla de la mejor manera posible. Ya no sufras más, deja de preocuparte, lávate la cara, sal y toma un poco de aire, distrae tu mente poniendo atención en otras cosas por unos minutos; recuerda que estás vivo, respira profundo y relájate un poco. Cuando atiendas de nuevo a la situación que quieres resolver analiza tus opciones –no hay problema sin solución–, pregúntate de qué otra forma la puedes resolver o a quién puedes llamar para que te apoye. Muchas veces escuchar los comentarios de un buen amigo nos muestra una puerta que no habíamos visto antes.

Quedarte parado y llorando frente a la puerta que se ha cerrado, no te permite ver mas allá... la ventana que se ha abierto.

¿CÓMO COMENZAR A ACTUAR?

Receta 1. *Mantén la calma.* Recuerda que cuando estás sometido a una gran tensión o en pánico no tienes la claridad para resolver nada... Serénate y recupera la calma, analiza las opciones, llénate de fe y comienza paso a paso a resolver el problema.

Receta 2. *Espera siempre lo mejor.* Recuerda que todas las situaciones difíciles representan una oportunidad de aprender, mira hacia el pasado y recuerda las batallas que has ganado; refuerza tu valor y la confianza en que podrás hacerlo de nuevo. Si por alguna razón te equivocas y las cosas no salen como esperabas, prepárate para aceptarlo y corregir sobre la marcha.

Receta 3. *Busca la esencia del problema.* Cada problema, por complicado que sea, contiene la información necesaria para resolverlo. A veces la respuesta está en ti, en un cambio de actitud o en la toma de una decisión; suma los pros y los contras, escucha tus dudas pero no permitas que el miedo te paralice, toma una decisión y actúa.

Receta 4. *Toma distancia.* Sepárate un poco del problema para minimizarlo, no te dejes abrumar por la primera impresión; una buena actitud como el humor o la relajación buscando el equilibrio son buenas técnicas para practicar.

"En la medida en que resolvamos cada problema, estaremos más fuertes y capacitados para afrontar lo inesperado; además cada vivencia aumentará la confianza en nosotros mismos y en la vida".

Darse cuenta

Cada uno de nosotros tiene su momento y su oportunidad; ese momento mágico es en el que logramos darnos cuenta cómo es o cómo se manifiesta realmente algo. A lo mejor ha estado ahí por mucho tiempo y es sólo ahora cuando lo reconocemos.

Generalmente vivimos sin la claridad que nos permite ver las cosas tal cual son. Vivimos como influenciados u oscurecidos por nuestros temores, prejuicios y creencias, en especial si son negativas, o por las consideraciones aprendidas a través de otros. Todas estas condiciones pueden obstaculizar nuestra visión de la realidad en muchos momentos, impidiéndonos hacernos cargo de enfrentarla y resolverla después.

Es importante recordar el hecho de que vivimos ausentes del único momento que podemos usar y vivir realmente: El presente. Estamos enseñados a vivir en el pasado ya sea porque fue muy doloroso, difícil o injusto o porque lo que vivimos en ese tiempo nos marcó profundamente o porque nuestros recuerdos fueron mejores que lo que vivimos ahora, en el presente. De la misma manera ocurre cuando nos dejamos llevar o atrapar por el futuro, por lo preocupado que te sientes al no saber lo que pueda pasar o por el deseo de que ese futuro sea mejor que tu presente. En este caso, tus pensamientos te hacen estar ausente y perder así la posibilidad de reconocer las señales que la vida te envía constantemente para apoyarte a salir de donde estás ahora.

No podemos hacer uso de una verdad que no es clara para nosotros. No podemos escoger un camino que otros consideran bueno para nosotros sin habernos dado cuenta de que así es: no podemos avanzar en una dirección acertada si no tenemos la claridad que nos permita reconocerla. El proceso de "darse cuenta" significa abrirnos al reconocimiento de algo que es verdad para nosotros internamente.

Cuando hablamos de transformarnos, es determinante que ocurra en nosotros el "darse cuenta" que nos permita sentir el deseo o la necesidad genuina de asumir el compromiso, de hacer cuanto sea necesario para obtener o conseguir esa meta. Entonces, la motivación que nos hace falta para realizar el trabajo interno para el cambio será nuestra. De lo contrario, ocurrirá que nos dejemos empujar, manipular o llevar del interés o la motivación inicial que otros nos transmitan o nos quieran dar para cambiar o mejorar. En este caso, el entusiasmo, las ganas, la voluntad o la disposición nos fallarán porque en realidad nos falta la convicción acerca de lo importante o determinante que pudiera ser para nosotros esa transformación.

Nadie aprende por conciencia, deseo o responsabilidad de otro; uno necesita experimentar ese estado de "darse cuenta".

¿Qué podemos hacer para aumentar la frecuencia de esos momentos en nuestra vida?

Receta 1. *Aprende a vivir en el presente.* De esta manera tu mente estará atenta a lo que sucede ahora.

Concentra tu atención en ti mismo, en lo que está sucediendo ahora, no te distraigas, no te disperses, estás aquí y ahora. Sé que no será sencillo al principio especialmente para aquellos que aprendieron a estar ausentes por mucho tiempo, pero aquí hay una lección pendiente. Practica y trabaja con entusiasmo, voluntad, disciplina, perseverancia y por encima de todo, con la flexibilidad que te permita ajustar tus creencias. Comienza por estar consciente de que estás vivo.

Receta 2. *Practica la meditación dirigida a vaciar tu interior.* Esto significa dedicar unos minutos a calmar tu interior para balancear tus emociones y disminuir tu actividad mental. A través de la respiración conciente podrás reconocer que estás vivo aquí y ahora, conectado al universo en todo momento.

Receta 3. *Utiliza la meditación activa.* Concentra tu atención en todo lo que ves a tu alrededor mientras caminas. Escoge un sendero que te saque de la ciudad y te ponga en contacto con un ambiente natural. Respira consciente de cada una de tus pisadas sobre la madre tierra y de cómo estableces un contacto físico e interno con ella.

Receta 4. *Suéltate del pasado.* Recuerda que todo lo que experimentamos trae consigo la oportunidad de enseñarnos o recordarnos algo. Entonces reflexiona un poco acerca de esa situación en particular, pregúntate qué cosa puedes aprender a través de ella y utiliza el perdón para liberar a otros si estuvieron involucrados o a ti mismo, si consideras que fuiste el responsable de lo que ocurrió. Hazlo con amor y acompañado del deseo genuino de soltar.

Receta 5. *Aprende a ocuparte en lugar de preocuparte y recuerda que el futuro no es más que una proyección del presente.* Pregúntate con frecuencia si hay algo que puedas hacer para resolver o solucionar esa situación que te preocupa; si la respuesta es si, dirígete sin pérdida de tiempo a resolverla; si la respuesta es no, aprende a entregarla, confía y descansa. Preocuparte, generalmente te impide darte cuenta para reconocer la mejor forma de solucionar un pendiente.

Receta 6. *Crea tus metas y dirígete hacia ellas sin desesperarte o desanimarte.* Concentra tu atención en hacer en el presente tu mejor esfuerzo, en cumplir con cada uno de los propósitos o pasos que te llevarán a conseguir tus metas y de esta manera crearás un futuro bueno, como consecuencia de un presente mejor. Evita levantar la vista para ver cuánto te falta todavía.

Receta 7. *Practica la contemplación.* Dedica pequeños ratos a la semana o al mes a observar a tu alrededor, sin juicio, análisis o critica. Reconoce los matices, las diferencias, los cambios, los colores, las formas de la naturaleza y aliméntate de la presencia de Dios en todos ellos. Este ejercicio te sensibilizará.

Receta 8. *Proponte escuchar más que hablar.* No olvides que ese otro bien pudiera ser, con su vivencia o con sus palabras el mensajero que esperas.Tal vez escucharlo y escucharte te permita reconocer que es tu momento para servir. Estar atento te ayudará a percibirlo con más facilidad.

Sugerencias:

- *Pon atención a cada evento en tu vida, te dará la posibilidad de reconocer el significado de su presencia en ella.*
- *Escucha con atención y sin juicio, las sugerencias de otros, especialmente de los más cercanos a ti. A veces la vida se vale de algún instrumento para llamar nuestra atención con respecto a alguna circunstancia de ella.*
- *Suelta todo deseo una vez que tengas la claridad de lo que deseas o buscas alcanzar. Esto significa mantener tus esfuerzos y energías enfocadas en tu meta, pero al mismo tiempo, tu mente vacía para percibir o recibir aquello que está ahí para ti.*
- *¿Cuántas veces has intentado sugerirle a otro la posibilidad de hacer contacto con algo positivo para él? ¿Cuántas veces has intentado que esa persona que quieres se dé cuenta de algo negativo o destructivo en su vida como un hábito, una conducta, una creencia o una actitud, y a pesar de la claridad que tienes por observar desde afuera, el otro no puede reconocerlo o darse cuenta de que es así? ¿Sabes por qué? Porque no es su momento, no está listo o preparado internamente para poder reconocerlo e internalizarlo. Ciertamente,la*

Divinidad utiliza diferentes instrumentos para hacer llegar a nosotros la verdad y es posible que en muchos casos, tu desinterés, objetividad y amor te permitan ser uno de ellos. Pero, no podemos ignorar el respeto al momento y al proceso de cada quien, en el instante en que compartimos con ese otro nuestras sugerencias.

- *Llegará el momento mágico en que suceda la apertura que le permita a esa persona, ver y oír tal información como si fuese la primera vez, si es que forma parte de él. A la oportunidad de ver más allá de nuestra limitada visión, es a lo que llamamos "darse cuenta".*
- *¡Ábrete! Ábrete internamente, vive con sencillez, bájale el ruido a tu vida y sabrás que sólo un poco más allá o más acá en ese instante mágico donde nos conectamos al ritmo de la vida, está la maravillosa posibilidad de abrir la puerta que nos permita darnos cuenta del verdadero sentido de las cosas y más aún... reconocer en un instante, el significado de una situación o de un momento en nuestra vida, para hacernos cargo de él o de nosotros, con responsabilidad y entusiasmo, sólo un momento después.*

"Vivir con Amor y por Amor hacia nosotros, hacia los otros, hacia la vida y hacia Dios, nos permite activar la mirada interior". ¿Te has dado cuenta, que en este momento estamos vivos y conectados a través de estas líneas?

La vida es muy corta para empequeñecerla

Son tantos los momentos o las situaciones en las que nos sentimos agredidos, adoloridos, atemorizados, abrumados, cansados, presionados, o desanimados, que resulta muy sencillo comenzar a sufrir la vida.

La mayoría de las veces, el sufrimiento que experimentamos depende más de nosotros que de los demás. Es a través de nuestros pensamientos, ideas, creencias y consideraciones que tenemos acerca de esa persona o situación en particular como nos afectamos.

Yo sé que estarás pensando justo en este momento que no es así y que al contrario, tu malestar depende de otros o de las condiciones que están ahí causándote la afectación.

No permitas que las pequeñas cosas por las que te afectas, te dañen el día o la vida. Tendríamos que evaluar la trascendencia de cada situación que vivimos y seguramente al hacerlo descubriríamos que nos afectamos por cosas insignificantes, hasta el punto de que es posible que una situación que te amargó en un momento, pasa a un plano totalmente distante una vez que pones atención a una nueva y atractiva situación. Dale paso a las cosas sin trascendencia en tu vivir y seguramente vivirás mejor...

¿Cómo puedo dejar de afectarme por cosas sin trascendencia?

Receta 1. *Las cosas no nos afectan en sí por lo que son sino por lo que nosotros creemos acerca de ellas.* Esto es completamente cierto. En realidad, algo nos afecta de acuerdo a la creencia que tenemos acerca de lo que representa para nosotros. Vamos, decide que esa situación o que la actitud de tu pareja que tanto te afecta ya no lo hará mas... quítale el poder sobre tu vida y en su lugar fija tu atención en otras características positivas.

Receta 2. *Hay una frase liberadora que dice:* "Todo pasa" y ciertamente pasa; lo difícil es asumirla justo cuando nos encontramos en medio del conflicto, en el ojo del huracán. En el momento en que nos sentimos más afectados, comprender su significado se vuelve difícil. En realidad lo que esta frase te ofrece es la posibilidad de mantenerte en contacto con tu fuerza interior y recordarte que no estás solo, que la presencia de la Divinidad está aquí y ahora para apoyarte. Significa volver a conectarte con tu seguridad, confianza y aprendizaje para recuperar la calma, la claridad y el valor que te permitan usar las herramientas que posees para manejar la situación. Es también el recordatorio de que toda situación que vivimos es una oportunidad de aprender, recordar o reafirmar una verdad. Además, "Todo pasa", implica aceptar lo que no podemos cambiar y disponer de nuestras energías y esfuerzos para transformar la situación en el momento en que podamos realmente hacerlo.

Receta 3. *Evita el dejarte llevar por la frustración.* A veces ocurre que al estar tan afectado, te estancas, te vuelves pasivo, víctima de la situación o de las circunstancias. Te quedas esperando que algo pase o que alguien haga algo para liberarte de la responsabilidad de hacerlo tú, o para aliviar tu dolor, aclarar tu confusión o compensarte por lo injusto de la situación. Esto sucede porque la afectación nos hace perder la claridad, la objetividad y la serenidad que necesitamos para resolver o manejar la situación.

Receta 4. *Procura restarle importancia a las cosas pequeñas.* También ocurre que te dejas afectar por cosas muy pequeñas, sin trascendencia alguna. Eres tú quien les concedes el poder o la importancia que necesitan para afectarte como lo hacen.

¿Te has detenido a reflexionar sobre las cosas que te afectan casi diariamente? Como por ejemplo, la actitud de otro, sus palabras y comentarios, que no te den lo que esperas, que se comporten negativamente o que reaccionen de otra manera que las cosas no sucedan como deseas o como habías planificado que ocurrieran.

Te dejas afectar por el clima, por lo inesperado, por el tráfico, porque no consigues las llaves o las tijeras en su lugar, por la critica o consideraciones de otros, por los obstáculos, por el temor a lo nuevo o a lo desconocido. En fin, cualquiera de estas situaciones te dañará el día e incluso la vida, si lo permites.

Receta 5. *Fortalécete emocionalmente.* A veces somos tan frágiles o tan susceptibles que permitimos que alguna frase, gesto o ausencia de detalles nos acompañe dolorosamente a través del recuerdo por mucho tiempo, convirtiéndose en odio, resentimiento, dolor y hasta deseo de venganza, dentro de nosotros. Vamos a liberarnos de esa carga. Es importante dejar de ser tan susceptibles...

Receta 6. *Trabaja para sanar tus heridas*. Vamos a sanar las heridas y a desaparecer las cicatrices que nos impiden ser livianos, espontáneos y flexibles. Vamos a darnos el permiso para volver a intentarlo o para volver a comenzar una vez más. Lo único que nos deben dejar esas situaciones es un gran aprendizaje acerca de nosotros mismos, de los demás o de esas pequeñas situaciones cotidianas que nos afectaron profundamente, pero que en vez de marcarnos, nos fortalecieron, aumentando nuestra seguridad, valor y capacidad de aprendizaje.

Sugerencias:

- *Respira profundo y cuenta hasta cincuenta si fuese necesario antes de reaccionar equivocadamente.*
- *Muéstrate flexible, especialmente en el momento de aceptar los errores de los demás.*
- *La rigidez de criterios muchas veces nos impide compartir agradablemente con otros.*
- *Si no te devuelven el saludo, no te molestes... continúa saludando abiertamente.*
- *Practica alterar tu horario de comida y descubre que no pasa nada.*

- *Atrévete a comerte el postre de primero.*
- *Respira tomando aire por la nariz y botándolo por la boca varias veces para recuperar tu balance.*
- *Cuando alguien no te responda el saludo piensa que no te vio, en lugar de creer que no quiso hacerlo.*
- *Un poco de permiso para lo inesperado y diferente, de vez en cuando, animará tu existencia.*
- *Deja de pensar en esa persona que está alejada de tí; envíale pensamientos de amor, pídele excusas si fuese necesario y luego suéltala; no permitas que su actitud te haga flecos la vida y te desgaste emocionalmente.*
- *Aprende a aceptar a las personas como son, para que puedas disfrutar de todo lo bueno que hay dentro de ellas.*

"Ya no sufras más por lo que deseas tener; concéntrate en lo que tienes ahora, para que puedas disfrutarlo y prepárate para conseguir tus metas".

Momentos difíciles

La vida tiene ciclos, que incluyen momentos agradables, cuando ocurre lo que esperábamos o lo que nos agrada y otros momentos que muchas veces llamamos difíciles, cuando suceden situaciones inesperadas, que nos llenan de dolor, angustia, temor o confusión. Estos últimos son los que más nos enseñan y nos enriquecen como seres humanos.

Nada ocurre por casualidad; de manera que esas situaciones son atraídas o generadas por nosotros mismos, tal vez por algo que hicimos o que dejamos de hacer o por la necesidad que tenemos de aprender, crecer y adquirir mayor conciencia acerca de la vida y su significado para nosotros.

En el instante en que nos encontramos en uno de esos momentos, se pone a prueba lo que hemos aprendido, nuestra fe, la voluntad, la serenidad, nuestra claridad mental y, por encima de todo, nuestra fortaleza...

Resistirnos a aceptar una situación difícil, hará que ésta se torne más dolorosa y complicada de resolver. Tratar de encontrar en ese momento el sentido de justicia de la misma o buscar las razones por las cuales estamos ahí... pueden ser la forma más directa de aumentar nuestro dolor y confusión. Ábrete a vivir el momento con la mejor actitud, sin perder la calma y la fe; de esta manera encontrarás la mejor vía para hallar soluciones o convertirlas en una gran oportunidad .

¿Cómo hacer para sobreponernos a los momentos difíciles?

¿Hay algo que podamos hacer para quitarle el poder a esas situaciones o a esas personas sobre nuestra vida?

Receta 1. *Tú puedes cambiar internamente tus consideraciones acerca del significado o la importancia de las actitudes y las situaciones que te afectan negativamente*. Decide que ya no te afectarán, deja de atenderlas, no las recuerdes. Por el contrario, pregúntate que puedes hacer para evitarlas, corregirlas o superarlas. Y aquiétate para percibir la respuesta.

Receta 2. *La próxima vez que algo o alguien te afecte, detente antes de dejarte llevar por la reacción, incluso si es causada por el dolor.* Vive tu duelo, experimenta tus sentimientos y emociones más, no permitas que ellas nublen tu razón. Date tiempo, apóyate en las herramientas o prácticas que realizas para mantener tu equilibrio y recupera poco a poco tu serenidad. Luego, cuando lo más difícil haya pasado, reflexiona, toma decisiones o asume actitudes que te permitan estar por encima de la situación para manejarla. Aprende algo para que no necesites volver a repetirla.

Receta 3. *Sé un poquito más flexible.* Recuerda, lo que sucede siempre es lo mejor. La próxima vez que se atraviese en tu camino un suceso inesperado, respira profundamente y dite: ¿Qué puedo hacer para solucionarlo, para transformarlo o para usarlo positivamente? No permitas que la frustración lo convierta en algo terrible o imposible de manejar.

Receta 4. *Fortalece tu Fe.* No olvides que la Fe es una fuerza que se encuentra en el interior de cada uno de nosotros y que crece en la medida en que reafirmamos nuestras convicciones y practicamos la oración conciente para establecer contacto con la Divinidad, de manera que podamos percibir su amorosa y protectora Presencia en nuestra vida.

Receta 5. *Alimenta y fortalece tu espíritu.* La práctica de la meditación y la contemplación te permitirán mantener el balance de las emociones y la claridad de tus pensamientos y al mismo tiempo fortalecerán tu fuerza interior a través del reconocimiento de la Presencia de Dios en tu vida. La lectura de libros de contenido espiritual y positivo te refresca el momento, además de reconectarte a las herramientas que se encuentran dentro de ti y que puedes usar para superar cualquier situación.

Sugerencias:

- *Refuerza tus valores personales de autoestima, confianza y seguridad en ti mismo. Eres alguien especial.*
- *Recuerda tu derecho a ser feliz, sin que esto signifique ignorar o atentar contra el derecho de otros.*

- *Quítale el poder a aquellas personas que atentan contra tu seguridad, confianza, autoestima, crecimiento o felicidad. Decide que ya no podrán afectarte más, porque ahora tú confías en tus capacidades y talentos para vivir con seguridad.*
- *Levántate del dolor y la aflicción y decide pasar la página guardando sólo aquello que pueda servirte para estar más cerca de la felicidad.*
- *Pregúntate silenciosamente: ¿Qué puedo aprender de esto?*

"Toda situación difícil es un pasaje hacia la luz de un nuevo comienzo".

Pedir disculpas

Pedir disculpas implica asumir la responsabilidad parcial o total de nuestros errores, equívocos o faltas en un momento. Lamentablemente la vida de muchas personas está llena de disculpas dichas sin conciencia o sin verdadero arrepentimiento, que más tarde fueron faltas que se volvieron a cometer.

Es posible que como adultos, en la mayoría de los casos, sea sencillo justificar nuestras faltas o equivocaciones con un argumento que nos parezca lógico a nosotros e inclusive al otro. Pero aun así, estaríamos mintiéndonos y evadiendo el hacernos responsables de corregir o solucionar nuestra falta.

Otras veces sucede que pides disculpas mecánicamente sólo por complacer momentáneamente al otro, creyendo que de esta manera olvidará la afrenta y no tendrás que hacer algún esfuerzo para solucionarlo.

Dejar que el tiempo pase sin ponernos en acción, no resuelve los conflictos; al contrario, con el tiempo, los pequeños desacuerdos que se han dejado de lado, se hacen más grandes y difíciles de enfrentar y corregir. También es posible que te justifiques por inseguridad o temor a la reacción o a la represalia que tendrá esa persona en particular.

El hábito de disculparnos puede venir de nuestra infancia, por ejemplo cuando un niño pide excusas con el ánimo de asumir su responsabilidad y recibe a cambio un regaño o un castigo como respuesta; poco a poco, esto lo enseña a justificar y esconder sus errores diciendo mentiras. De ahí la importancia de enseñar a nuestros hijos a reconocer sus faltas, teniendo una actitud abierta para la comunicación, el perdón y los acuerdos.

Dejemos de justificarnos. Al hacerlo veremos las cosas como son. Dejaremos de lamentarnos o de escondernos, enfrentaremos el conflicto y encontraremos la manera de darle solución. Debemos asumir el compromiso con nosotros mismos y con la persona afectada, de corregir o solucionar nuestro error, sin que nadie tenga que perseguirnos para recordarnos que nos comprometimos.

También implica que reconocemos no sólo nuestra falta, sino la afectación que le causamos a la otra persona y su derecho a recibir una disculpa verdadera por parte de nosotros. Esto nos permitirá tener relaciones más sanas.

¿QUÉ SIGNIFICA REALMENTE DISCULPARNOS?

Receta 1. *Deja de justificarte.* Pregúntate: qué estás dispuesto a hacer para corregirlo. Una vez que lo sepas, comienza a actuar para enmendarte. ¿Cuántas veces el disculparte no significa un compromiso real de cambiar o mejorar tu comportamiento? Muchas veces las personas se cansan de confiar en el compromiso que otros hacen, después que han pedido tantas excusas en su vida.

Receta 2. *Vence el temor a ser desaprobado, castigado, ignorado o rechazado.* Atrévete a enfrentar la situación para asumir con valor tu responsabilidad. Aun cuando esa persona no acepte tus disculpas, será la vida quien te libere de la carga de la situación, a condición de que lo hagas con el deseo genuino de corregir tu error.

Receta 3. *Acepta la realidad con una actitud positiva.* De esta manera te será más sencillo pedir disculpas y hacer cuanto sea necesario para solucionarlo. Muchas veces la culpa no nos permite reconocerlo y pensar que todavía podemos hacer algo positivo al respecto.

Receta 4. *Si realmente depende de ti, asume abiertamente la responsabilidad de hacer algo constructivo.* Si depende de un grupo de personas dentro de las cuales te encuentras, busca las palabras que te lleven a motivarlas para que juntas encuentren la solución del problema, sin permanecer demasiado tiempo en el malestar que queda luego de cometer un error.

Receta 5. *Perdónate a ti mismo o a otros si es necesario para iniciar verdaderamente el trabajo de solucionar, corregir o superar un conflicto.* Muchas veces, el sentimiento de culpa nos impide hacer algo constructivo para solucionarlo.

Receta 6. *Colócate en el lugar del otro.* Así podrás reconocer su afectación y encontrar el estímulo para pedirle excusas y comunicarle tu compromiso de hacer cuanto sea necesario para sanar o corregir tu equivocación, todo esto con mucha comprensión y mucho amor.

Sugerencias:

- *Expresa verbalmente tus disculpas, o explica el motivo que originó tu actitud o tus palabras.*
- *No dejes que el tiempo pase sin pedir excusas para resolver cualquier situación. Escoge el momento adecuado para hacerlo y verás cómo se soluciona más fácilmente.*
- *Recuerda que las acciones expresan más claramente nuestro arrepentimiento que las palabras...*
- *Pide excusas aun por las faltas más pequeñas; ello dignifica.*
- *Respira profundo y hazlo desde el corazón.*
- *Disponte a estar abierto para recibir y aceptar las disculpas de la otra persona.*
- *Verás cómo a trevés del tiempo y con el compromiso de enfrentar y asumir cada error o equivocación con mucha responsabilidad y madurez, te volverás más honesto y coherente con tu verdad. Además, te respetarán no por tus excusas sino por tus acciones.*

"Alcanza una nueva visión acerca de ti mismo y vive de acuerdo con ella"

Vive el presente, disfruta de la vida

"Una vez el discípulo le consultó a su maestro cuál es la auténtica esencia de vivir y el maestro, sin pestañear siquiera respondió: comer, hablar, caminar... Pero si eso es lo que yo hago a diario, dijo sorprendido el aprendiz; el maestro sonrió y dijo: sí, ciertamente, pero nosotros cuando comemos comemos, cuando hablamos hablamos y cuando caminamos caminamos; vosotros llegáis a hacer las tres cosas a la vez y a menudo sin ser conscientes de ninguna".

Si revisamos un día de nuestra vida, veremos que siempre estamos tratando de hacer más de una cosa a la vez: Mientras manejamos, hablamos por teléfono celular; nos vestimos mientras organizamos los pendientes del día; desayunamos y revisamos mentalmente nuestras actividades del trabajo; nos cepillamos los dientes mientras le damos instrucciones a nuestros hijos desde lejos... Pareciera que estamos acostumbrados a hacer más de dos cosas a la vez.

Hacemos todo lo posible por ganarle tiempo al tiempo, en una frenética carrera, tratando de hacer mil cosas a la vez, ¿para llegar a dónde? ¿Te sientes bien viviendo de esta manera?

Pocas veces somos conscientes de lo que hacemos en cada momento; generalmente, estamos ausentes del único instante que realmente podemos usar, que es el presente, pues aunque nuestro cuerpo esté aquí y ahora, nuestra atención y nuestros pensamientos están viajando al pasado o visitando el futuro. Te invito a estar en el presente haciendo una sola cosa a la vez; dediquémosle toda nuestra atención a lo que estemos haciendo en el momento y a nada más; pongamos todos nuestros sentidos en ello y aprendamos a vivir conscientemente cada cosa que hagamos inclusive, el estar vivos.

Ocuparte de una cosa a la vez significa poner toda tu atención en lo que haces, para que salga bien y así obtener el resultado que esperas.

Vivir en presente también significa prestar toda tu atención a las personas con las que te relacionas, especialmente a tus seres queridos... ¿Recuerdas la última vez que trataste de contarle algo a tu pareja, que era muy importante para ti, mientras ella leía el periódico o tal vez ojeaba una revista? ¿Cómo te sentiste? Estoy segura que lo que esperabas era que dejara el periódico o la revista y te atendiera...

Sal del pasado y regresa del futuro... lo mejor de tu vida está ocurriendo en este momento y no vale la pena que te lo pierdas preocupándote por lo que pueda ocurrir después.

¿Cuándo fue la ultima vez que te tomaste un vaso de agua bien fría y disfrutaste de la sensación del líquido pasando por tu garganta? Hasta para descansar necesitamos soltar los pendientes y disfrutar del momento. Esto ocurre porque tenemos nuestra atención y pensamientos en varias cosas a la vez. ¡ Vamos, es posible cambiar algunos de nuestros hábitos negativos por otros que sean más positivos y efectivos!

En la mayoría de los senderos que nos llevan hacia la tranquilidad, la prosperidad y la felicidad, encontramos que uno de los pasos más importantes consiste en aprender a vivir en el presente, ocupándonos de una sola cosa a la vez.

¡Intenta vivir cada momento como si fuese el único y el más especial de todos! En definitiva se trata de hacer las cosas con amor y conciencia.

¿Cómo podemos Vivir en Presente?

Receta 1. *Toma lápiz y papel.* La noche anterior, haz una lista con todos tus asuntos pendientes, ordénalos por prioridad y concéntrate en cumplir cada uno de ellos. No des paso a otro en tu mente hasta que hayas terminado con el anterior.

Receta 2. *No te aferres al pasado.* Recuerda que el pasado ya pasó y no podemos hacer algo al respecto. Deja de darle vueltas en la cabeza a todo lo que pudiste haber hecho y acepta que no lo hiciste. Ubícate en el aquí y ahora, pregúntate qué puedes hacer para resolverlo y disponte a hacerlo. Si no puedes, entonces acéptalo como parte de tu aprendizaje en la escuela de la vida.

Receta 3. *No anticipes las consecuencias.* Evita imaginarte mil situaciones que pueden ocurrir, especialmente sin son negativas. Recuerda que casi nunca suceden, pues no corresponden a la realidad. Deja de suponer todo lo que pueda pasar y concéntrate en realizar tu mejor esfuerzo en el momento, para que ocurra lo mejor.

Receta 4. *Haz una pausa.* Escapar por un momento de la rutina diaria, dedicados por completo al ocio, tiene un efecto revitalizante y milagroso, que renueva positivamente nuestro estado de ánimo, tranquiliza nuestra mente y alegra nuestro espíritu, además de relajar nuestro cuerpo y permitirnos recuperar nuestra fuerza física.

Receta 5. *Pon los pies en la tierra.* Caminar descalzos en el jardín, a la orilla del mar o simplemente poner los pies sobre el piso, nos ayuda a liberar las tensiones y volver nuestra atención al momento presente, pues nos conecta con la tierra.

Receta 6. *Ubícate en el presente.* Cada vez que tus pensamientos te distraigan de lo que estás haciendo en el momento, practica un sencillo ejercicio de ubicación: mira a tu alrededor y observa los detalles del lugar donde te encuentras, respira con suavidad y ubícate en el sitio y en la situación donde te encuentras realmente. Hacer esto te ayudara a bajar la tensión que experimentas.

Receta 7. *Mira a los ojos.* Cuando hables con tus seres queridos míralos a los ojos como una señal de atención. Esto los hará sentir queridos y te permitirá disfrutar del contacto. La atención es una manera directa de expresar el Amor.

"Tal vez no sepamos lo que ocurrirá mañana,
ni siquiera lo que sucederá más tarde;
lo único que sabemos es que en este instante
estamos vivos; tomemos lo mejor de este
momento y disfrutemos de este regalo".

Reconocimiento

Hay momentos en nuestra vida en los que sentimos perder la motivación, como si nos quedáramos sin ganas de continuar haciendo aquello que queríamos realizar. En esos momentos es posible experimentar el deseo de movernos, cambiar de actividad o de ocupación, como si en este cambio externo estuviese oculta la posibilidad de recuperar el sentido y la alegría de vivir.

Es posible que te encuentres desmotivado en este momento, por falta de reconocimiento o recompensa de parte de la vida o de aquellos a quienes les has dado lo mejor de ti.

Hablemos un poco acerca del reconocimiento en nuestra vida. El reconocimiento es como la recompensa o devolución que recibimos por todo aquello que hacemos o entregamos cada día. La recompensa es como una energía que tiene diferentes formas de manifestarse:

Hay personas que esperan ser recompensadas con dinero o cosas materiales.

Otras desean serlo a través del reconocimiento público, como un premio, una condecoración o un ascenso en el escalafón.

Otras, lo que desean es la gratitud y el afecto de aquellos que tocan o creen afectar positivamente a través de su labor.

El reconocimiento ocurre cuando estamos abiertos a dar y a recibir, cuando tomamos en cuenta a otros y somos tomados en cuenta por ellos, cuando comenzamos a reconocer el valor del esfuerzo pequeño o grande de cada persona cercana a nosotros, cuando dejamos de considerar que los otros están obligados a hacer cosas por nosotros y cuando dejamos de hacer las cosas a cambio de algo... Entonces, sucede que abrimos los ojos para ver más allá de las apariencias, los prejuicios y algunas creencias para extender nuestro reconocimiento a otros en forma de recompensa y como un estímulo para que no abandonen aquello que están haciendo.

¿CÓMO ABRIRNOS A RECONOCER LA PRESENCIA POSITIVA DE OTROS EN NUESTRA VIDA?

Receta 1. *Aprendamos a reconocernos a nosotros mismos.* Nuestro entusiasmo debe mantenerse en alto y la motivación nos debe alcanzar para perseverar en nuestro esfuerzo por hacer nuestra labor con excelencia y amor.

Receta 2. *Ábrete a recibir*. Algunas veces por no obtener lo que esperamos, llegamos a considerar que no nos han retribuido y optamos por permanecer cerrados al intercambio, sintiéndonos frustrados.

Receta 3. *Comienza por reconocer a otros con frecuencia*. Esto hará que otras personas se abran a darte el reconocimiento que necesitas. Palabras amables como qué bien te quedó, qué bueno que me acompañaste, gracias por estar conmigo, qué trabajo tan bien hecho, gracias por su colaboración, son algunas de las frases que, dichas con sinceridad y gentileza, pueden estimular a otros para que continúen haciendo una mejor labor.

Receta 4. *Atrévete a pedir a los tuyos con amor, el reconocimiento que necesitas y procura al mismo tiempo darlo a ellos para que puedan aprender a expresarlo.* Diles que quieres que te inviten, o te ayuden, o que necesitas un abrazo de vez en cuando; no olvides que nosotros enseñamos a los demás cómo tratarnos con nuestro comportamiento cotidiano. Revisa tu actitud y pregúntate si estás haciendo algo para no recibirlo.

Ocurre con frecuencia que somos nosotros mismos quienes con una actitud equivocada, alejamos a los demás de nosotros.

Receta 5. Refuerza la seguridad en ti mismo. No necesitas ser reconocido para sentirte seguro de lo que haces o para sentir la motivación de seguir haciendo tu mejor esfuerzo, pues en ese caso seguramente no lo recibirás en la misma medida en que lo necesitas.

Receta 6. *Deja de esperar el reconocimiento, especialmente por parte de tus seres queridos.* Tener la oportunidad de entregar lo mejor de ti, con amor y excelencia debe convertirse en tu más grande recompensa. De manera que si las personas a quienes le entregaste todo, no te lo reconocen o no te lo devuelven por alguna razón, puedas igualmente sentirte lleno, en paz y contento de haberlo hecho. Quienes generalmente te devuelven lo que entregas de esta manera en la vida, no son las personas con quienes lo compartiste, sino otros que en el momento más importante llegan para dártelo.

SUGERENCIAS:

- *Deja de esperar y continúa haciendo lo mejor...*
- *No te dejes desanimar o amargar por tus temores o por las consideraciones negativas de los demás; lucha por sostenerte arriba y sin detenerte.*
- *Aunque te parezca que la tarea que otro realiza forma parte de su responsabilidad... detente y utiliza un par de palabras amables para reconocer su esfuerzo.*
- *Decide estar atento a los detalles que otros comparten contigo y reconócelos.*
- *Agradece siempre el servicio que te prestan los demás en algún momento.*
- *Ten detalles amables y agradables, aun cuando sean pequeños, con otros y especialmente con tus seres queridos.*
- *No te resientas por lo que nos has recibido aún...*
- *Practica tu comprensión para que la actitud aparentemente fría de las personas que amas no te afecte.*

- *Reconoce el esfuerzo que hacen tus hijos,para salir bien en la escuela, para colaborar con las tareas de la casa, por superar algún problema, hábito o limitación, por realizar el esfuerzo de amarrarse los zapatos o vestirse solos... Cada vez que somos reconocidos, especialmente cuando no lo esperamos, internamente experimentamos la alegría de hacer lo mejor.*
- *Entonces ocurrirá que alguien se fijará en nosotros, en nuestro empeño, en la calidad y la dedicación con que hacemos nuestro trabajo y nos dará lo que merecemos como una recompensa a la certeza y confianza con la que actuamos. Deja de esperar y actúa sin detenerte.*
- *Toma una respiración profunda, date un paseo al aire libre, despeja un poco tu cabeza y levanta ese ánimo. Eres alguien especial y valioso. Toma un descanso, date gusto, quiérete y consiéntete un poco para continuar adelante con tu tarea o con tu misión. ¡Cuando menos lo esperes... Llegará!*

"Sin ti, este mundo tendría un agujero difícil de tapar... por lo excelente, amoroso y dedicado que eres en tu labor".

Mantén tu cuerpo en forma

Hoy reflexionaba acerca de la importancia de practicar alguna actividad física con disciplina y constancia en nuestra vida diaria.

¿Cuántas veces hemos escuchado o leído acerca de lo útil que resulta para nuestro cuerpo y mente practicar alguna actividad física, o sobre la manera en que liberamos a través del ejercicio, la tensión, el cansancio e inclusive las preocupaciones y los temores? ¿De cómo logramos en muchos casos superar la depresión y renovar el entusiasmo y la alegría de vivir por la producción de endorfinas a través del ejercicio físico, además de oxigenar nuestra sangre y fortalecer nuestros músculos para alcanzar así mayor vitalidad y energía?

Todo aquello que implique hacer un esfuerzo dirigido a aumentar nuestro bienestar personal, para algunas personas, carece de sentido. Sí, aunque te parezca increíble, así es. Necesitamos aprender a querer y a cuidar nuestro cuerpo, comprender que en realidad es un vehículo de alguien superior y que en la medida en que podamos disponer de él con salud y fortaleza, tendremos más capacidad de vivir a plenitud cada experiencia, pues el cuerpo no será un estorbo que nos detenga por su debilidad. Al contrario, nos apoyaremos en su vitalidad para hacer cada vez, más cosas increíbles. ¿Sabías que el primer paso cuando hablamos de realización, implica un trabajo corporal? Concentrar tu atención en el trabajo de mantenerlo como un instrumento musical bien afinado, es una tarea espiritual.

Nuestro cuerpo tiene que luchar por eliminar, transformar y digerir muchas cosas pesadas y negativas. De ahí que gran parte de nuestra energía vital permanezca apoyando estos procesos. En la medida en que cambiemos ciertos hábitos y creencias equivocadas, recuperaremos gran parte de esa energía que habíamos perdido como una devolución que se traducirá en un mayor bienestar.

Nunca es tarde para comenzar una rutina que poco a poco nos permita aumentar nuestro bienestar y fortalecer la disciplina. No olvides que la imagen que proyectas hacia los demás dependerá de tu actitud, expresión corporal, comportamiento, lenguaje y armonía de tu cuerpo.

Entonces, ¿qué nos hace falta para comenzar?

Receta 1. *Respeta tus horarios de descanso y de actividad.* Tu cuerpo es una máquina delicada que para mantener su equilibrio depende de una serie de hábitos de vida, dirigidos a sostener y aumentar la armonía y el funcionamiento de cada uno de sus órganos y elementos.

Receta 2. *Duerme y descansa las horas mínimas que necesite tu cuerpo para recuperar su energía.* Se sugiere un mínimo de ocho a seis horas diarias, a pesar de que una rutina muy comprometida, muchas veces hace que duermas unas 5 horas. Tómate una buena ducha antes de acostarte y procura no discutir o concentrar tu atención en problemas o cosas pendientes antes de ir a dormir; estar lo más relajado posible te permitirá descansar completamente.

Receta 3. *Realiza alguna actividad física de tu agrado.* Escoge algún deporte que te guste y de esta manera te asegurarás de no abandonarlo cuando te exija esforzarte para continuar adelante. Puede ser caminar al aire libre, montar bicicleta, asistir al gimnasio, practicar la natación, en fin, cualquier actividad que te permita ejercitar y fortalecer tu cuerpo.

Receta 4. *Toma baños largos de tina.* Con cierta frecuencia procura llenar la tina de agua lo más caliente que puedas resistir, agrega un poco de sales relajantes, pon un poco de música de tu agrado, baja la luz, enciende unas velitas y sumérgete hasta que la temperatura del agua baje y experimentes un poco de frío; relaja así tu cuerpo por un rato. Esto te hará descansar disminuir la tensión y aumentar el aprecio por ti mismo.

Receta 5. *Comencemos por comer con conciencia y responsabilidad.* Comprender que nuestra salud y buena condición también depende de lo que comemos, hará la diferencia en algunos de los hábitos alimenticios equivocados que hemos conservado por mucho tiempo. Dejar de llevarnos por el placer a la hora de comer y aprender a hacerlo por salud, nos permitirá aumentar nuestra sensibilidad para reconocer los sabores, olores y beneficios de una alimentación más natural y por lo tanto más sana. Atrévete a experimentar con aquellos alimentos naturales que, si bien no has probado nunca, insistes en decir que no te gustan. Hazlo con la actitud positiva y entusiasta de aumentar tu bienestar y verás cómo comenzarás a disfrutar de muchos de ellos. A veces pensamos que la salud y la vitalidad nos durarán por siempre, a pesar de todas las cosas que hacemos en contra de nosotros mismos... La pregunta es: ¿Cómo será esto posible?

SUGERENCIAS:

- *Lo importante será la constancia, la disciplina y las ganas con que comiences a hacerlo.*
- *Recuerda que la medida verdadera de tu avance, será el vencer cada vez el umbral del dolor que puedas experimentar en algunas partes de tu cuerpo, cuando haces ejercicio. No te detengas; al contrario, reúne las fuerzas y las ganas para vencerlo y de esta manera sentirás que avanzas en fortaleza y resistencia física y mental.*
- *No te esfuerces por competir con otros, encuentra tu propio ritmo.*
- *Invita a un buen amigo o a tu pareja, para que te acompañe. Algunas veces necesitamos el*

estímulo o el entusiasmo del otro para mantener el esfuerzo.

- *Una vez que comiences con tu rutina no te detengas. Te será más fácil avanzar de esta manera.*
- *Si te es posible, realiza el ejercicio físico al aire libre. Te ayudará a relajarte con más facilidad.*
- *Aprende a liberar la tensión y a canalizar tus emociones, especialmente si son negativas.*
- *Si vives en la ciudad, elige hacer tu caminata en horas donde el bullicio, el tráfico o la contaminación hayan bajado.*
- *Convierte tus preocupaciones en acciones dirigidas a prevenir y producir soluciones; si trabajas en lograr una mente más positiva, seguramente obtendrás un cuerpo más sano y más vital.*
- *Cuando comienzas a apreciar tu cuerpo y a valorar el regalo de tenerlo, encuentras la voluntad, el deseo y la determinación de hacer cambios en tus hábitos, para aumentar la armonía, la vitalidad y el bienestar que te permitan sentirte sano y a gusto contigo mismo y con la imagen que reflejas.*

"Comienzo a tratar mi cuerpo con amor, conciencia y gentileza".

La fuerza del amor

El amor es una energía que brota espontáneamente del interior de todo ser humano. En la medida en que nos alineamos con ella, logramos hacerla fluir a través de nuestras actitudes, expresión corporal, gestos, palabras y acciones. Cuando le damos cabida al amor en nuestro corazón, esta energía comienza a transformarnos internamente.

El amor tiene diversas formas de manifestarse y envolver todas nuestras relaciones personales. Podemos sentir amor hacia nosotros mismos, nuestros padres y familiares, nuestros hijos, nuestros amigos, nuestra pareja. Por supuesto también lo podemos expresar hacia los demás, la naturaleza, Dios y su Creación.

El verdadero amor nos estimula a dar lo mejor de nosotros sin esperar nada a cambio, por el único deseo de compartir y aportar.

El amor nos permitirá abrirnos internamente para reconocer nuestros errores y faltas cuantas veces sea necesario y nos dispondrá a asumir el compromiso de hacer todo aquello que esté a nuestro alcance para corregirlos y aprender de cada uno de ellos.

El amor nos impulsará a perdonar y a perdonarnos a través de la comprensión y la responsabilidad parcial o total que asumimos frente a cada situación difícil que vivimos, sumado al deseo de crecer y liberarnos del pasado.

El amor nos dará la fortaleza y el valor para vencernos internamente, cuando seamos nosotros mismos la resistencia o el obstáculo para avanzar y transformarnos; además, nos ayudará a vencer externamente cuando enfrentemos el temor, lo desconocido, los conflictos, lo inesperado, el dolor, la diferencia o negativa de otros a compartir con nosotros lo mejor de sí.

El amor nos dará la inspiración y el deseo de tener detalles con los demás, especialmente con los que amamos y que nos aman. Extenderá nuestra tolerancia para aceptarnos a nosotros y a los demás en toda circunstancia.

El amor nos hará conscientes de nuestras reacciones a tiempo de evitarlas, canalizando nuestras emociones y transformando los pensamientos que las causan.

Expandirá nuestra conciencia haciéndonos ver más allá de lo aprendido, de las formas y de las apariencias, para reconocer lo que es igual en cada uno de nosotros de manera que podamos borrar los límites, manejar nuestras diferencias, acortar las distancias que nos separan, perdonar las ofensas y sanar las heridas que son producto de un pasado en el que vivimos separados y confundidos por el poder, la riqueza y la inconsciencia.

¿Cómo reconocer el amor incondicional?

Receta 1. *El día de hoy practica abrirte a su presencia.* Al levantarte cierra los ojos por unos minutos y conecta tu atención al sonido de tu respiración, reconoce que estás vivo y disfruta de esa sensación. Luego recuerda que el Amor anida en tu interior, percíbelo y expándelo por todo tu cuerpo, aquiétate y envía pensamientos de Amor a cada persona que lo necesita, descansa de nuevo en tu respiración, da gracias a la Divinidad por reconocerlo y suavemente abre los ojos de nuevo.

¡Experimenta el regalo del Amor en tu interior... y disfruta de un nuevo día!

Receta 2. *Sé amable.* Encuentra un par de palabras amables para dirigirte a los demás, especialmente a esa persona que más te afecta o te hace perder la paciencia. Sé también muy amable con tus seres queridos, a pesar de la prisa y los pendientes que estén presionándote internamente. Los gestos y las palabras amables son una expresión del Amor.

Receta 3. *Practica perdonar.* Proponte perdonar a esa persona que te ofendió, maltrató o ignoró en algún momento. Llénate de Amor y hazlo pensando en su limitación o incapacidad para comportarse adecuadamente en ese momento. Piensa que tal vez necesite una oportunidad para corregir y aprender de sus errores. Amarlo, te liberara del dolor y de la venganza. El verdadero perdón se logra cuando se origina en el corazón.

Receta 4. *Vuélvete una persona detallista.* Invierte unos minutos en escribir una nota o busca la forma de hacer sentir a otro querido y apreciado por ti. ¿Cuánto tiempo hace que no tienes un detalle agradable con los tuyos? Proponte hacer saber a esas personas que han sido buenas contigo, que tú las recuerdas y las quieres. Los detalles son una de las muchas formas de expresar el amor; ellos nos hacen sentir queridos y reconocidos.

Receta 5. *Ahorra momentos de calidad.* Dedica un tiempo cada día de la semana para compartir con aquellos que pasan por un momento de necesidad, limitación o dificultad. Recuerda que el Amor es acción y que no es suficiente pensar en el aprecio que sentimos por otros, sino que tenemos que volver ese sentimiento acción para que pueda llegar hasta ellos.

Receta 6. *Ábrete internamente para recibir el Amor que otros sienten por ti.* La distancia produce frialdad a pesar de que la sientas justificada. Déjate acompañar, abrazar, acariciar y haz lo mismo con los tuyos. Las caricias y el toque lleno de Amor transmite a otros rápidamente nuestros sentimientos amorosos.

Receta 7. *Aprende a respirar profundamente para que sea el Amor* en lugar del rencor o el resentimiento, el que se exprese a través de ti, especialmente en los momentos difíciles. Contar hasta diez o cien antes de reaccionar violentamente es *Amor*.

SUGERENCIAS:

- *Comprométete silenciosamente cada día a realizar una acción amorosa y desinteresada por alguien.*
- *Observa y reconoce la Presencia de Dios en otros, especialmente en esa persona que te molesta.*
- *Regala una flor o unos chocolates a la persona que amas o aprecias.*
- *Dispón de un poco de tu tiempo para acompañar o invitar a una persona a ese lugar que tanto desea conocer o visitar. Comparte tu tiempo libre.*
- *Concédele la razón a esa persona que lucha por obtener un poco de reconocimiento en una discusión rutinaria contigo.*
- *Date una ducha y disponte a escuchar en detalle la historia del paseo de tus hijos. Atiéndelos con todos tus sentidos.*
- *Escucha la observación amorosa de tu pareja o amigo acerca de tu comportamiento y promete revisarte. Si fuese necesario, ten el valor de reconocer tu falta y cambia.*
- *Concéntrate en el amor que sientes por las personas que te acompañan en la vida y decide eliminar las peleas, los gritos y el maltrato en tu relación con ellas.*
- *Recuerda que violencia no es Amor.*

"Decide enviarle pensamientos de
Amor a todos aquellos que crees que te
han afectado negativamente... Sí, tú puedes
hacerlo y descubrir cuán refrescante puede
ser este ejercicio; te sentirás más liviano y
alejarás cualquier intención negativa
que pudieran tener sobre ti y los tuyos".
¡Ámalos y desea que sean muy felices!

Cuenta tus regalos, pues no todo es dinero

El sábado por la tarde recibí la llamada de una amiga que se ofrecía a cuidarme las niñas para poder ir al cine con mi esposo; me pareció maravilloso tener la oportunidad de hacerlo, acepté agradecida y quedamos en que ella estaría en mi casa a las cuatro de la tarde para que pudiéramos salir con tiempo. Cuando llegó, no sólo venía a cuidarlas sino que traía los ingredientes para prepararnos una cena especial... Fuimos al cine y lo pasamos muy bien. En verdad fue una tarde maravillosa y diferente, estuvimos relajados y la excelente película fue como tomar un baño mental para limpiarnos de todos lo pensamientos que muchas veces nos inquietan... Cuando llegamos a casa, las niñas ya habían cenado y estaban disfrutando de una película en la televisión; mi amiga se levantó y nos sirvió una deliciosa cena. Me imagino que sabes lo rico que es que te atiendan y que lo hagan con cariño. Fue una velada muy agradable que, por supuesto le agradecimos. Fue un regalo muy especial, que sólo por su entrega, entusiasmo y amor logró lo que el dinero no siempre puede lograr. Esto me hizo reflexionar que la abundancia se manifiesta en nuestra vida de maneras muy diferentes.

En estos días observaba que la Divinidad nos ofrece continuamente pequeñas recompensas que a manera de regalos nos alegran la vida y mejoran nuestra visión de ella. Muchas veces la expectativa de algo que deseamos tener o lograr, pero que no llega a concretarse, pese a todos los esfuerzos que realizamos para alcanzarlo, nos impide reconocer y disfrutar de todo lo bueno, bello y especial que también está ocurriendo alrededor de nosotros en todo momento.

Hace algunos años escuché una técnica simple pero con un contenido profundo, que cambió radicalmente mi expectativa frente a la vida y me enseñó a reconocer que las bendiciones y los pequeños regalos que recibo son la retribución por parte de la vida.

La técnica consiste en: Comprar un cuaderno para anotar todos lo pequeños regalos que recibes cada día, por ejemplo: Si alguien te invita a almorzar, anótalo como un regalo; si alguien se ofrece a cuidarte los niños para que puedas ir al cine con tu pareja, anótalo como un regalo; si alguien te ofrece llevarte al trabajo, anótalo como un regalo; cada vez que recibas una frase amable, una sonrisa o un abrazo, anótalo como un regalo; si tienes alguien que te quiere y protege, anótalo como un regalo; si vas de compras y encuentras lo que querías a un precio rebajado, anótalo como un regalo. Luego, cuidadosamente, revisa tu lista para que puedas ver claramente la abundancia.

Sobre cada uno de nosotros llueven constantemente las oportunidades y la abundancia del universo, pero a veces no lo reconocemos porque vienen envueltas de una forma diferente de como las esperábamos.

Estoy segura que mientras lees estas líneas, recuerdas algún momento difícil en tu vida, donde te sentiste a punto de abandonar ese proyecto tan especial, porque no tenías cómo continuar y de repente mágicamente te llegaron recursos inesperados y se abrieron las puertas que estaban cerradas para que pudieras seguir adelante y llegar hasta el final, exitosamente. Esa es la abundancia del Universo.

¡Si no aprendes a ser feliz con lo que tienes, no podrás ser feliz con más! A veces ocurre que no valoramos suficientemente lo que tenemos, ponemos con mucha facilidad nuestra atención en las cosas que pensamos que nos hacen falta para ser felices y por esta razón, sufrimos y nos tensionamos, perdiendo la capacidad de reconocer y disfrutar de todo lo pequeño, cotidiano, bueno e importante que poseemos.

¿Cómo atraer la Abundancia a tu vida?

Receta 1. *Ábrete a recibir.* Muchas veces la abundancia no llega a nuestra vida porque estamos cerrados para recibirla. No olvides que nos puede llegar de muchas y diferentes maneras. Agradece y acepta lo que la vida te entrega; tal vez no sea lo que tú pediste pero puede ser lo que más te conviene. Comienza por aceptar los cumplidos y las frases de elogio que te hacen. La próxima vez que alguien te agradezca algún favor que hayas prestado, en lugar de decir eso no es nada, di "con mucho gusto", y vuélvete más receptivo.

Receta 2. *Disponte a dar.* La manera más eficaz de volver a llenar los bolsillos de nuestra vida, es dando lo mejor de nosotros y sin esperar recibir algo a cambio. Estás tan concentrado en la limitación que experimentas en este momento, que te parece que tienes muy poco para dar. Distrae tu mente y disponte a compartir con los demás un poco de lo que tienes y verás cómo se multiplica y lo recibes de la manera como más lo necesitas.

Receta 3. *Haz un inventario de tus regalos.* Cuando regresé de un viaje a la India, lo hice valorando desde mi cepillo de dientes hasta el lugar donde vivía... Haciendo una lista de todas las cosas pequeñas y grandes que tenemos, incluyendo nuestros talentos y afectos, reafirmaremos que no es rico aquel que tiene todo lo que quiere sino aquel que quiere todo lo que tiene. Decide usar aquellas cosas que tienes guardadas esperando una ocasión especial y comparte con alguien las cosas que sabes que ahora no necesitas.

Receta 4. *Vuélvete agradecido por todo aquello que te da la vida.* Cuando aprendemos a sentir gratitud por todo aquello que llega a nuestra vida aun cuando no sea lo que esperábamos inicialmente y lo convertimos en lo mejor que nos ha pasado, estamos listos para recibir más. Deja de quejarte y decide disfrutar de todo aquello que tienes ahora, pues a veces la expectativa de lo que esperamos recibir, nos impide disfrutar de lo que ya tenemos. Que las lágrimas por haber perdido el sol no te impidan ver las estrellas.

"Recordemos que la vida es como una rueda; hay momentos en los que estamos arriba y todo fluye como queremos y luego, estamos abajo y pasamos etapas difíciles que representan oportunidades de aprender y madurar para ampliar nuestra capacidad de ser felices. La clave está en recordar que todo pasa y al mismo tiempo todo llega cuando nos abrimos para recibir los regalos que nos da la vida".

La Paz verdadera

Había una vez un rey que ofreció un gran premio a aquel artista que pudiera en una pintura dibujar la paz perfecta. Muchos artistas lo intentaron y presentaron sus obras en el palacio del rey. El rey observó y admiró todas las pinturas, pero sólo hubo dos que a él realmente le gustaron y tuvo que escoger entre ellas.

La primera era un lago muy tranquilo. Este lago era un espejo perfecto donde se reflejaban unas plácidas montañas que lo rodeaban. Sobre estas se encontraba un cielo muy azul con tenues nubes blancas. Todos quienes miraron esta pintura pensaron que ésta reflejaba la paz perfecta.

La segunda pintura también tenía montañas pero estas eran escabrosas. Sobre ellas había un cielo furioso con rayos y truenos. Montaña abajo parecía retumbar un espumoso torrente de agua. Este no se revelaba pacífico para nada. Pero cuando el rey observó cuidadosamente, miró tras la cascada un delicado arbusto creciendo en una grieta de la roca. En este arbusto se encontraba un nido.

Allí, en medio del rugir de la violenta caída de agua, estaba sentado plácidamente un pajarito dentro de su nido... El pueblo se preguntaba qué cuadro elegiría el rey.

El sabio rey escogió la segunda y explicó el por qué... "Paz no significa estar en un lugar sin ruidos, sin problemas, sin trabajo duro o sin dolor. Paz significa, que a pesar de estar en medio de tantas cosas, jamás nada ni nadie quite ni perturbe la tranquilidad de nuestro corazón, al saber que las cosas las estás haciendo bien, con honestidad, verdad y amor. Este es el verdadero significado de paz interior.

¿En algún momento las situaciones externas te han hecho perder la paz en tu corazón? Si fue así, ¿estás dispuesto a reencontrarla? ¡Ánimo! La vida vale la pena vivirla, es hermosa y más aún cuando existe gente como tú con quien compartirla.

Estamos rodeados de muchas situaciones que nos causan estrés, nos enfrentamos diariamente al ruidoso despertador, al denso tráfico, a las terribles noticias, a la tensión del trabajo y a las obligaciones familiares... Por esto, creo que es importante recuperar la capacidad de tranquilizarnos, conservar la calma y alcanzar nuestra paz, para tener una mente clara y positiva que nos permita tener una visión más optimista de la vida.

¿Cómo podemos recuperar nuestra tranquilidad y claridad en medio de tanta conmoción? Aunque te parezca difícil, es posible lograrlo adoptando pequeños hábitos, sencillos y relajantes en nuestra rutina diaria, que nos ayudarán a recuperar la calma, reconfortar nuestro espíritu y experimentar la Paz que tanto buscamos.

¿Cómo alcanzar la verdadera paz?

Receta 1. *Respiración consciente*. Una respiración acelerada y entrecortada provocada por el estrés, agita la mente. Si controlas tu respiración y la haces suave y profunda, vas a liberar automáticamente la tensión y aquietarás tu espíritu.

Receta 2. *Desarrolla tu atención.* Debemos hacer un alto cuando estemos agobiados: salir y dar una vuelta para airearnos y mirar al cielo, los árboles y las montañas. Tenemos que conseguir un lugar donde nos sintamos reconfortados por la naturaleza para tomar distancia de la aceleración a la que estamos sometidos y regresar con más serenidad y lucidez para resolver las situaciones que enfrentamos.

Receta 3. *La música.* Escuchar buena música, puede ser una experiencia relajante. La música baja el ritmo de la respiración, relaja el sistema nervioso y a través de ella podemos hacer contacto con nuestro espíritu. También, cantar en voz alta mientras nos bañamos o lavamos los platos, nos ayuda a relajarnos después de un día agotador.

Receta 4. *Contacto corporal.* Las muestras de cariño, las caricias y los abrazos ejercen un efecto absolutamente relajante y benéfico. Sabernos queridos nos hará sentir seguros y confiados para quitarnos la armadura del guerrero y experimentar la Paz interior.

Receta 5. *El contacto con Dios.* Practica la oración consciente para fortalecer tu Fe y dar gracias por todos los regalos pequeños y grandes que has recibido. Conversa con Él acerca de tus limitaciones y pide su apoyo. Practicar tus creencias espirituales te devolverá la Paz.

Receta 6. *Hacer cosas por otros.* Una forma sencilla de aquietarnos internamente es hacer algo bueno y desinteresado por otra persona. Cuando entregamos lo mejor de nosotros, el Universo conspira para devolvérnoslo. Además, te relaja y renueva tu alegría de vivir.

Receta 7. *Relajarte.* Escoge un lugar tranquilo y agradable donde puedas practicar tu rutina de relajación, en una hora que te resulte cómoda todos los días. La meditación es un puente que también te permite establecer contacto con Dios en tu interior. Su práctica te permitirá recuperar la Paz.

"Si tomamos conciencia de nuestro estilo de vida y nuestra manera de ver las cosas, estaremos capacitados para hacer la Paz en el momento presente".

El sendero del bienestar

A veces nos sentimos con ganas de dejar todo y empezar de cero en otro lugar. Nos parece que podríamos comenzar en otra parte a vivir de una manera diferente, mejor, más prospera y más satisfactoria... Deseamos que ojalá esto fuese una horrible pesadilla de la que nos vamos a despertar en cualquier momento, para así vivir aquella vida que siempre hemos deseado. ¿Te has sentido así?

Todos tenemos el derecho a tener una vida gratificante y la obligación de ir por ella. Si no te sientes satisfecho con la tuya, quizás este sea el momento para un cambio radical.

Revisa y sigue tu intuición; es ahí donde se manifiesta la verdadera sabiduría. Hagamos un paréntesis, paremos nuestra alocada carrera, busquemos un sitio tranquilo y tomemos una respiración profunda para aquietar nuestros pensamientos y recordar juntos las verdades sencillas.

Es posible recuperar nuestro bienestar, esa sensación de lleno que experimentamos cuando tenemos una vida plena. Tenemos bienestar cuando nos sentimos a gusto siendo quien somos, con el lugar donde vivimos, con el trabajo que hacemos y con las personas con las que compartimos la vida.

Generalmente, estamos a la expectativa de tener más cosas materiales... pensando que así podremos experimentar al fin, esa sensación de bienestar. Pero en realidad el bienestar es el resultado de un trabajo personal, de crear un equilibrio que implica esencialmente poner en orden las diferentes áreas de nuestra vida comenzando primero por nosotros mismos.

Tú eres la pieza más importante y vital de este proceso. ¿Te has mirado en el espejo últimamente? ¿Te sientes a gusto con la imagen que observas reflejada en el espejo? ¿Te sientes entusiasta y satisfecho? Pues por ahí debes comenzar la transformación. Si tú estás bien, todo lo demás comenzará a cambiar y mejorar.

Recuerda que todo lo que sucede afuera es el reflejo de lo que ocurre en el interior de cada uno de nosotros. Somos una causa importante que produce el efecto, que más tarde vivimos. Volvámonos una causa positiva que nos permita vivir la vida que deseamos.

¡Dale una oportunidad a la vida! Vuelve a comenzar, incluso si piensas que ya lo has intentado todo y no te ha funcionado...Tu vida no volverá a ser la misma, descubrirás que no hay sueños imposibles ni metas inalcanzables; acepta el reto de convertirte en el ganador que fuiste destinado a ser; tú sabes que lo mereces, pero tienes que trabajar por ello.

Efectúa cambios positivos en tu vida, empieza por lo más fácil y sencillo para ti, pero ¡comienza hoy mismo!

¿Cómo caminar tras el bienestar?

Receta 1. *Mantente saludable.* Crea una rutina de ejercicios físicos que estimulen y mantengan tu vitalidad ayudándote a liberar el estrés y las tensiones. Incorpora a tu rutina una buena alimentación, recuerda hacer tus tres comidas al día aunque lo hagas en cantidades moderadas, tomar al menos seis vasos de agua y dormir entre seis y ocho horas para que puedas disfrutar de un sueño reparador.

Receta 2. *Mejora tu imagen*. Practica regularmente el ejercicio de tu preferencia, con disciplina y entusiasmo. Piensa que mientras lo haces te estás renovando. Mírate al espejo con gentileza y resalta tus mejores rasgos. Recuerda que lo que pensamos acerca de nosotros mismos, es lo que proyectamos a los demás.

Receta 3. *Conéctate con la naturaleza.* Aprende a observar el escenario natural que rodea tu vida. Disfruta el amanecer, el atardecer, la vegetación, la montaña, la playa. A través de la contemplación de la naturaleza, liberamos las tensiones y el estrés que acumulamos y al mismo tiempo recuperamos el equilibrio necesario para aumentar nuestro bienestar.

Receta 4. *Ábrete a la prosperidad.* Reprograma tu mente con pensamientos de éxito y optimismo, pues somos definitivamente lo que pensamos. Después de un pensamiento negativo crea uno positivo. El diálogo interno es lo único que puede reprogramar nuestro subconsciente. Deja de pensar y resaltar siempre todo lo negativo que ves o crees que puede suceder y comienza a pensar en todo lo bueno que quieres atraer a tu vida. Convierte tus pensamientos en comentarios positivos y afirmativos que te estimulen a ti y a los otros a recuperar el optimismo y la fe en la vida..

Receta 5. *Identifica tu estrella.* Escribe en un papel la vida que quieres para ti, no te fijes límites; sueña en grande, pero hazlo con detalles... Luego escribe lo que quieres para los seres que amas, para tu país, para el mundo; identifica tu sueño ahora. Si ya sabes a dónde verdaderamente quieres ir, debes encontrar el mejor camino para lograr tu meta; entonces mira tu norte y crea un plan de acción para llegar a él.

"Mucha suerte en el sendero del bienestar que estás empezando a caminar, pues tengo la seguridad de que serás tan feliz como decidas serlo; esta será una aventura emocionante, gratificante y a la vez tu mayor desafío. Las leyes de la abundancia y el éxito, el entusiasmo, la actitud positiva, el trabajo, la voluntad, la excelencia y tu compromiso serán las llaves mágicas que te abrirán el reino de la prosperidad".

La importancia de la actitud positiva

Quiero compartir contigo uno de los hallazgos más importantes que he realizado a través de la aventura de mi vida: La Actitud

Hoy en día, leemos y escuchamos mucho acerca de la palabra actitud, relacionada con la posibilidad de alcanzar nuestras metas, el éxito y la prosperidad. Pero, más que todo eso, para mí, la Actitud es la posición con la que afrontamos y respondemos a cada situación en la vida.

La actitud involucra los pensamientos y las creencias que tenemos acerca de nosotros mismos y de las situaciones que vivimos. La actitud positiva es básicamente la confianza que tenemos en nosotros mismos y la capacidad que poseemos para resolver de una manera satisfactoria cada una de las situaciones que se presentan en nuestra vida.

La actitud influye y afecta directamente nuestro estado de ánimo, nuestras acciones, nuestra salud y finalmente, nuestra calidad de vida y felicidad.

La actitud negativa o positiva que tenemos ante la vida, depende en gran parte de las programaciones que traemos de la infancia, si crecimos rodeados de personas que se quejaban y lamentaban de su situación sin hacer nada para mejorarla, o si crecimos escuchando frases como "tú no puedes", "no lo hagas porque te va a ir mal", "no tienes suerte", seguramente tendremos una actitud negativa frente a la vida. En cambio, si tuvimos una o varias personas que nos estimularon a confiar en nosotros mismos y en la vida, que reforzaron nuestras capacidades y nos apoyaron a superar con optimismo nuestros momentos difíciles, tendremos una actitud positiva. Esta es la fuerza que nos impulsa y nos mantiene motivados, a pesar de los obstáculos que enfrentamos para obtener lo que deseamos.

La actitud también se manifiesta a través de nuestra expresión corporal y se refleja en nuestros gestos, palabras y hasta en el tono emocional con el que nos comunicamos. Eres de las personas que se levantan entusiastas y piensan, ¡qué día tan bonito!, hoy voy a conseguir ese contrato o el trabajo que estoy buscando. O más bien, de las que se despiertan quejándose por tener que levantarse temprano, doliéndose del trabajo que tienen o imaginando el pesado tráfico que les espera ¡Vamos! Podemos cambiar ese cuadro por uno positivo que te permita tener un día maravilloso. Aprendamos a convertir todas nuestras malas vivencias en experiencias positivas, tomando lo mejor de cada día.

¿Cómo adoptar una actitud positiva?

Receta 1. *Sana las heridas del pasado*. No podemos cambiar nuestro pasado porque, ¡lo pasado ya pasó! Sólo podemos cambiar lo que sentimos respecto a él y la forma en como nos afecta en este momento. Practica el perdón. Llénate de amor y del deseo de ser libre de ese recuerdo, perdonando a esa persona que te hizo daño. Esta es la forma más sencilla para dejar el pasado atrás.

Receta 2. *Cree en ti, mejora tu autoestima.* Recupera la seguridad y la confianza en ti mismo y en la vida. Repite constantemente a lo largo del día, frases positivas como: "Yo soy capaz" Yo soy exitoso", "Yo me merezco una vida mejor". Estas afirmaciones dichas con certeza te ayudarán poco a poco a mejorar tu estado de ánimo, tu actitud y lo más importante es que comenzarás a crear mentalmente una nueva realidad para ti.

Receta 3. *Cambia tu visión*. Deja de fijar tu atención sólo en las cosas negativas que ocurren en el trabajo, en tu casa, en tu país... y comienza a reconocer todo lo positivo, bueno e importante que también sucede a tu alrededor; no veas el vaso medio vacío, mira un vaso medio lleno. De esta manera mejorará tu ánimo, recuperarás las ganas de trabajar y continuarás poniendo lo mejor de ti con la confianza en una vida mejor. ¡Recuerda que ningún esfuerzo positivo se pierde!

Receta 4. *Refuérzate con pequeños logros*. Empieza por tener metas pequeñas y cotidianas, como levantarte temprano, hacer ejercicio, cumplir con excelencia en tu trabajo, ser amable con las personas que rodean tu vida. Cumplir con tus propósitos cada día te hará sentir más seguro y motivado para lograr metas mayores.

Receta 5. *Practica la sonrisa*. ¿Te has fijado en la expresión de la cara que tienen las personas que están a tu alrededor, en el tránsito, en una sala de espera o en un ascensor? Generalmente hacemos mala cara, reflejamos en nuestro rostro con mucha claridad las preocupaciones y la tensión de la vida diaria sin darnos cuenta. Comienza por iluminar tu rostro con una sonrisa; recuerda el viejo dicho "Al mal tiempo buena cara".

Receta 6. *No te dejes afectar por la negatividad externa*. Toma la decisión de no permitir que los comentarios y las experiencias negativas de otros, bajen tu entusiasmo y debiliten tu confianza; cada uno de nosotros tiene una vivencia personal e individual y la tuya tiene que ser positiva. No seas partícipe de difundir o escuchar rumores negativos de los cuales no eres testigo; convierte tu casa en un lugar a salvo donde puedas descansar junto a tus seres queridos, para recuperar el optimismo y las ganas de vivir.

"Una actitud positiva, activa y esperanzada de la vida, hará que veamos las cosas en su aspecto más favorable, para estar más abiertos y dispuestos a las propuestas y oportunidades que nos ofrece la vida".

Lo positivo de la soledad

Experimentar momentos de soledad a voluntad, puede ser una de las maneras de disfrutar el estar a solas, contigo mismo... Pero cuando estamos solos y sentimos el deseo de compartir o acompañarnos de otros, estos momentos pueden ser una de las lecciones más difíciles de aprender en la vida. La soledad puede convertirse en una etapa que nos permita reflexionar acerca de todo lo que hemos vivido para establecer nuevas metas personales que signifiquen calidad de vida. Además, podemos usar este tiempo para dedicarnos a aquellas actividades que tanto nos gustan y que demandan tiempo y dedicación.

Existen varias razones por las cuales es posible que te encuentres solo en este momento: Porque te sientes inseguro de tus talentos y capacidades, y esto te dificulta el relacionarte con otros. Tal vez sea porque tuviste algún desengaño en el amor o en la amistad y el temor de volverlo a experimentar hace que te encierres, buscando protección. Otras veces es porque te encuentras en la tercera edad, y la relación con los hijos o la familia no ha sido tan grata ni cercana; entonces, el dolor hace que te vuelvas un poco resentido, difícil, cerrado o depresivo. O tal vez tu situación sea el alejamiento de los demás, falta de amigos o conocidos y por circunstancias que sólo tú conoces, te encuentres solo en este momento y con el deseo de una buena compañía. Tal vez experimentes una de las soledades, para mí, más difíciles de manejar: la que experimenta una persona que se siente sola a pesar de estar físicamente acompañada de alguien. No importa cuál sea la razón que justifica tu soledad... ¡Tu puedes salir de ella o comenzar a disfrutarla!

¿Cómo podemos llenar nuestra soledad?

Receta 1. *Comienza por recordar que tú eres tu principal compañía.* Eres tu mejor amigo, la persona que siempre te ha acompañado en todo momento a lo largo de tu vida. Colócate frente a un espejo, obsérvate en detalle y sonríe. Así está mejor, estás ahí y eres tu mejor motivo para vivir, mantenerte ocupado y disfrutar de la vida. Aprende a sentirte a gusto en tu compañía. Piensa qué te gustaría hacer, a qué te gustaría dedicarte, cómo te gustaría lucir. Ahora busca la manera de hacerlo. Levántate, date una ducha caliente, vístete con la ropa que te gusta y fíjate una meta que distraiga tu mente y te mantenga ocupado y efectivo. Entonces... ¡Adelante!

Receta 2. *Concéntrate en revisarte internamente.* Cuando estás a la espera de tu pareja y sientes que ha pasado mucho tiempo, ¿serás tú la persona ideal para esa persona ideal que esperas? Dedícate a realizar esos pequeños ajustes de hábitos, actitudes o pensamientos que te permitan mejorar tu calidad de vida y que al mismo tiempo te transformen en un mejor ser humano... Verás que de un momento a otro aparecerá esa persona especial y te encontrará preparado para compartir con ella. Ya llegará. ¡Vive el presente!

Receta 3. *Adquiere una mascota.* Comparte tu cariño con un animal de tu agrado. Acompáñate de él, pero no lo conviertas en el ser humano que te gustaría tener a tu lado, pues esto podría ser algo equivocado. El contacto, la relación y el intercambio con otras personas enriquecen nuestras vidas, gracias a nuestras diferencias personales. Los animales pueden ser una grata y cariñosa compañía, especialmente cuando disfrutamos de la tercera edad.

Receta 4. *Toma la iniciativa sin temor, e invita a un compañero de estudio o de trabajo a comer un helado, a ver una película, o simplemente ofrece llevarlo al final del trabajo a su casa.* Algunas veces permanecemos quietos esperando a que otros nos inviten o se acerquen a nosotros; empeñados en que sea de esta manera, asumimos actitudes hostiles que nos alejan de los demás. Pregúntate qué es lo peor que puede suceder si te arriesgas a invitarlo. Lo peor que puede suceder es que no acepte; entonces no te cierres pensando que lo intentaste y fracasaste Piensa que siempre habrá otra oportunidad y personas dispuestas. De manera que vuelve a intentarlo.

Receta 5. *Imprímele a tu vida un poco de actividad.* No te encierres, pues es ahí donde tus temores y prejuicios se hacen mayores que tu deseo de manejar la soledad. Rejuvenécete internamente, asume una actitud positiva, perdona si fuese necesario, deja el pasado atrás, siéntete capaz de experimentar y asume una actitud abierta para compartir. ¡Sonríe, relájate y decide disfrutar la vida! Entonces, la próxima vez que alguien te invite, no digas que estás ocupado, o que estás muy viejo para intentarlo... Sacude tu cabeza y simplemente acepta la invitación, pásala bien y recuerda que siempre podemos aprender y crecer cuando nos relacionamos con otros. ¡ANÍMATE!

Receta 6. *Si tienes momentos de soledad eventuales o a voluntad, disfrútalos.* Úsalos para estar contigo o para hacer aquellas cosas que te gustan; comparte tu tiempo con personas agradables o afines contigo. Nunca te acompañes de alguien sólamente para llenar tu vacío, pues causarás un daño doble: a la persona que experimenta agrado con tu compañía y a ti mismo por forzarte a estar en una situación que no te gusta y que perpetúa tu sensación de vacío.

Receta 7. *Recupera la sensación de ser útil.* Encontrar un trabajo o una actividad que nos permita sentirnos útiles, necesitados o productivos, muchas veces llena o amortigua nuestra sensación de soledad. Ayudar a otros que necesitan de nosotros, nos hará sentir gratamente acompañados para vivir.

Sugerencias:

- *No olvides que todos tenemos el derecho a sentirnos plenos y a gusto en el lugar que ocupamos y con las personas que nos acompañan.*
- *Acepta la soledad, enfréntala sin justificarla y decide llenarla.*
- *La soledad en realidad no existe; es un estado mental.*

- *Hay que pagar el costo de lo que significa compartir con otros... ¿Estás dispuesto a hacerlo?*
- *Toma decisiones, asume tu situación, deja de culpar a otros y vive sin temor.*
- *Aprende a meditar o a orar, acompáñate de la Presencia de Dios en ti y verás cómo desaparece ese viejo sentimiento de soledad.*

" En realidad la soledad es relativa y está sujeta a nuestra manera de afrontar y vivir la vida. Del balance entre el deber y el disfrute, se genera un bienestar interno que se reflejará en todo lo que haces... Irradia en todo momento lo mejor de ti, vuélvete una persona, optimista, entusiasta, capaz de aceptar y disfrutar tu lugar en esta vida, abierto a compartir y a aprender de otros. Entonces, será inevitable que nos sintamos atraídos por esa luz que seguramente brotará de ti. No estás solo; estamos juntos a través de estás líneas para acompañarnos en el vivir".

Libertad

Muchas veces confundimos nuestro deseo de libertad con el libertinaje o con la ausencia total de responsabilidades... cuando en realidad ser libre, significa vivir cada momento de manera consciente, atento y responsable.

Ser libre es poder ser tú mismo en cada situación, sin apariencias o conveniencias. Eres libre cuando te realizas como persona.

La mayoría de las veces nuestra falta de libertad viene de adentro. Estamos sujetos a través de algunas creencias y acondicionamientos mentales. Es posible que hayas pensado que tu libertad depende de terminar o cambiar circunstancias fuera de ti; inclusive es posible que creas que tu falta de libertad depende de alguien que no te deja ser o vivir como quieres.

La tarea principal de todo ser humano consiste en liberarse de todos los acondicionamientos, apegos, dependencias, hábitos e ideas que lo llevan a vivir desconectado de su naturaleza esencial, inteligente y amorosa, que obra en todo momento con conciencia y responsabilidad. Ser libre es ser auténtico sin agredir, irrespetar o ignorar los derechos de los demás.

¿CÓMO VIVIR CON LIBERTAD?

Receta 1. *Revisa las situaciones y relaciones que envuelven tu vida y reflexiona acerca del apego que sientes por alguna de ellas.* No olvides que el sentir apego por algo o por alguien manifiesta tu miedo a perder, a no tener, a sentirte mal, en fin, es el miedo lo que te impulsa a sostener actitudes o consideraciones equivocadas con respecto a algunas relaciones o situaciones en tu vida. Sólo necesitas de ti y de la presencia de Dios en tu interior para ser feliz. Es bueno sentir la presencia grata de otros en nuestra vida, además de experimentar el confort y la satisfacción de nuestras necesidades, sumado a las oportunidades de realizarnos, pero cuidado con apegarte, pues comenzarás a perder tu libertad.

Receta 2. *Asume todo compromiso grande o pequeño, con conciencia y responsabilidad.* Es posible que te sientas preso por hacer o cumplir algún compromiso con el que no te sientes a gusto y por esta razón lo postergas o lo evades. La próxima vez, antes de decir que sí o que no a algo, pregúntate si quieres, si puedes, si estás dispuesto a cumplir con él. Sólo así te comprometerás con responsabilidad y libertad.

Receta 3. *Antes de tomar una decisión, siempre procura proyectar sus consecuencias.* De esta manera comenzaras a hacer uso del libre albedrío en tu vida. Eres tú quien decide en todo momento inclusive cuando tu elección parece ser quedarte quieto. Asume la conducción de tu vida y reconoce tu libertad para optar por el camino que escogerás en todo momento. Deja de hacer responsables a otros por tu falta de libertad o bienestar. Asume libremente la responsabilidad de tu vida.

Receta 4. *Encuentra tu lugar o tu misión en la vida*. Cuando tienes el placer de descubrir aquello que te gusta hacer, independientemente de los condicionamientos sociales acerca de lo que puede ser más productivo o más brillante, reconocerás dentro de ti la fuerza y el impulso que te llevarán a realizarlo con mística, excelencia y entrega; este será el comienzo de tu liberación y tu realización.

Receta 5. *Establece contacto con tu verdadera identidad*. ¿Quién eres? Esta es una pregunta importante de responder. Practica la observación consciente de ti mismo, sin críticas y sin juicios, dirigida a reconocer tus actitudes, creencias y pensamientos. Generalmente somos testigos del comportamiento de otros, creemos saber quiénes son, pero sabemos muy poco acerca de quiénes somos nosotros. El conocerte te dará la libertad de expresarte.

Receta 6. *Vive sin apariencias*. Algunas personas han sido enseñadas a vivir de apariencias, para obtener la aprobación o la calificación de los demás. Es como usar un disfraz de acuerdo a las circunstancias. Decide ser tú mismo, sin caretas. Encuentra las herramientas que te permitan aumentar tu autoestima y confianza personal, date permiso y poco a poco muéstrate como eres. Los que te aman te aceptarán. ¡Ser espiritual, es ser auténtico, es vivir en coherencia con nuestra verdad!

Sugerencias:

- *Pregúntate silenciosamente, qué te gustaría hacer en tu vida. Sueña y atrévete a ir por tu sueño para convertirlo en realidad.*
- *Cumple con tus asuntos pendientes, no los acumules ni postergues. Al finalizar, toma para ti un tiempo de calidad, dedícalo a un hobbie, a la lectura de un libro que no has podido terminar o a cualquier actividad que desees realizar.*
- *Suelta el pasado... para que seas libre de vivir el presente, limpio y renovado.*
- *El día de hoy siéntete libre de realizar todo aquello que está delante de ti y de hacerlo mejor que como lo hubieses hecho tiempo atrás.*
- *Siéntete libre para enriquecer tu vida y hacer cuanto sea necesario para realizarte.*
- *La libertad es una actitud de la mente y el corazón que le permite a tu alma ser.*
- *Eres libre para elegir, siempre y cuando seas igualmente responsable para asumir las consecuencias...*
- *No presiones a tus hijos para que sean como tú quieres, a diferencia de su naturaleza. Ámalos y permíteles la libertad de expresarse tal cual son; entonces descubrirás sus talentos para estimularlos y sus debilidades para que puedas ayudarlos a superarlas... ¡Amar a otro es apoyarlo para que sea libre, ¡inclusive de ti!*

" Nadie llega a su realización personal sin hacer el trabajo de liberarse de las ataduras y las dependencias que le impiden sentirse libre de ser".

Almas gemelas

En algún lugar del universo se encuentra tu contraparte. Ese ser que te complementa, que posee aquellas cualidades, virtudes y características personales, únicas, que se complementan y armonizan con las tuyas.

Todos buscamos ser amados de una manera especial, todos buscamos sentir la seguridad, la confianza, la entrega, el respeto, los detalles, la tolerancia, la comprensión, la amistad, el juego, la alegría, la paz, la intimidad, el apoyo, el espacio, la lealtad y la compañía para vivir la vida. Todos estos sentimientos los produce el Amor.

Puedes prepararte para el encuentro con esa persona especial en tu vida. Si estás solo ahora, realiza un inventario de tu última experiencia amorosa y pregúntate silenciosamente: ¿Entregaste todo lo que tenías para dar? ¿Te abriste a compartir sin condición? ¿Perdonaste de corazón? ¿Promoviste la comunicación para resolver cualquier malentendido a tiempo? ¿Tuviste muchos momentos de calidad para compartir, disfrutar e intercambiar? ¿Escuchaste lo suficiente, sin juicios ni críticas? ¿Le hablaste de tus sentimientos, temores, necesidades y sueños cuando los tuviste? ¿Acompañaste, estuviste ahí en los momentos más especiales? ¿Tuviste detalles, actuaste con amor? ¿Fuiste solidario? ¿Creaste momentos de intimidad o los compartiste con entrega? ¿Le diste permiso de ser sin manipularlo o cohibirlo?

Estas a tiempo de convertirte en una pareja ideal para que entonces llegue a tu vida esa persona con la que sueñas. Y si estás acompañado en este momento, recupera la fuerza del Amor y renuevan los votos con tu pareja por un enamoramiento eterno.

¿Cómo vivir con Amor?

Receta 1. *Crece con cada experiencia y recuerda: la presencia de otros en nuestra vida no es casual.* Deja de buscar y confrontar a otros, de criticarlos , sermonearlos o forzarlos a cambiar, para convertirlos en quienes no son. Concentra tu atención en ti mismo, pregúntate qué puedes aprender de esta situación y ábrete para reconocer todo lo positivo que también experimentas en esa relación.

Receta 2. *La mejor vía para acercarnos a nuestra pareja ideal es trabajar en nosotros mismos*. Generalmente estamos más atentos a las características de otros, incluyendo sus limitaciones y talentos, que a las nuestras. Concentra tu atención en ti mismo, realiza un inventario de lo positivo y lo negativo que hay en ti. Comienza por transformar aquello que consideras negativo porque te afecta a ti y a otros; mientras lo haces verás cómo tu energía comienza a tornarse más sutil y las personas que atraes comenzarán a ser diferentes. En la medida en que nos volvemos auténticos, responsables y amorosos, una corriente positiva acerca a nuestra vida la presencia de personas nuevas y, en el momento en que te encuentres listo, la presencia de tu pareja especial se manifestará.

Receta 3. *Ábrete al Amor, a su significado y a sus exigencias, recordando que nada es gratis en el universo*. Hay personas que esperan que alguien especial venga a darles lo mejor sin pedir, sin esperar o sin necesitar algo a cambio. ¿Será posible que exista alguien así en el universo para ti, que tienes pensamientos tan egoístas sólo porque experimentaste alguna relación en el pasado que te hizo sentir cansado de dar... Definitivamente tienes que renovar tus ganas y deseo de compartir lo mejor de ti como si fuese tu primera vez.

El amor es dar y recibir con apertura, con entrega, con ganas, con pasión y con desinterés, pues sólo así podrás crecer e integrarte al otro para ser parte de él o de ella. No olvides que entregar o compartir lo mejor de ti, tus dones y tu amor, te asegurará recibir lo mismo en el instante en que estés listo para hacerlo.

Receta 4. *Ejercicio para pedir la compañía de tu alma gemela*. Enciende una vela del color de tu preferencia, coloca un aroma relajante, encuentra un lugar agradable donde sentarte a solas por unos minutos. Apaga el teléfono y anota los pendientes en una agenda para que así puedas mentalmente desconectarte de ellos.

Luego cierra los ojos y concentra tu atención en tu respiración, relájate suavemente y descansa... Imagina un paisaje agradable en tu mente, recuerda algún lugar conocido donde experimentas paz y tranquilidad; luego toma tres respiraciones suaves y profundas y comienza por imaginar la llegada de esa persona especial a tu vida; imagina el momento y tus sentimientos; realiza una petición mental a la Divinidad para que si está en ley, permita que llegue esa persona a tu vida. Expresa mentalmente sus características y comunica también lo que estás dispuesto a entregar. Respira suave y muy profundamente, relájate y agradece mentalmente con la certeza del mensaje recibido. Siente tu cuerpo, ubícate y suavemente abre los ojos...

Vencer nuestra mezquindad, egoísmo, debilidad y hasta necesidad , nos permitirá abrir las puertas de nuestra mente y de nuestro corazón para darle eternamente la bienvenida al otro en nuestra vida.

SUGERENCIAS:

- *Usa la creatividad para renovar los momentos compartidos en la relación.*
- *Sé auténtico en tus expresiones, de manera que atraigas a la persona afín con tu naturaleza.*
- *Disponte a entregar todo de ti, aun a pesar de haber experimentado alguna pérdida sentimental.*
- *Sé una persona divertida, desarrolla el sentido del humor y la risa fácil.*
- *Practica el pensamiento y los comentarios positivos.*
- *Sé afectuoso y cariñoso.*

- *Ocúpate de lucir bien para ti y para esa persona especial.*
- *Busca quién cuide tus niños y prepara una velada especial, sin reclamos, sin cosas pendientes, sólo para el disfrute.*
- *Practica el reconocimiento con frecuencia. No ignores las pequeñas cosas que el otro hace por ti.*
- *Recuerda que el Amor es perdón.*
- *Vive eternamente enamorado.*
- *Respeta las diferencias del otro y decide aprender de ellas.*
- *Realiza actividades junto con tu pareja.*
- *Practica alguna técnica espiritual que te sirva para crecer y enriquecerte en tu vida de pareja.*

La infidelidad

Es posible que hayas experimentado alguna vez el dolor que produce la infidelidad por parte de esa persona a la que amas. Si es así, te encuentras frente a una gran disyuntiva: darte una nueva oportunidad, o tomar la decisión de ponerle un límite o un punto final a esa relación.

En ambos casos se hace indispensable perdonar. El perdón es la herramienta que nos permite reflexionar acerca de lo que vivimos y encontrar parte de la responsabilidad que tuvimos por lo ocurrido. De esta manera lograremos obtener un efecto positivo que nos permita con el tiempo crecer y encontrarle un sentido. La infidelidad es un asunto que se interpreta de diferentes maneras, pero que esencialmente se refiere a la falta de lealtad o fidelidad que termina por quebrar la confianza en la que basamos nuestra relación. El amor fiel es un acto de fe, del uno en el otro; de aquí la importancia de confiar para poder amar con entrega y sin temor.

Si decides darte y darle una nueva oportunidad a esa persona, recuerda:

Receta 1. *Perdonar y perdonarte si fuese necesario.* Recuerda que esto implica dejar el pasado atrás. De lo contrario, el recuerdo de lo vivido les impedirá darse una nueva y completa oportunidad. Es muy importante que haya un cambio en nuestra relación, que nos permita recuperar poco a poco la confianza para reconstruir la armonía y rescatar definitivamente el amor. El perdón debe ser desde el corazón, pues si lo hacemos con la cabeza no funcionará, en cualquier momento aflorará el recuerdo y el dolor, y volverá al enfrentamiento entre los dos.

Receta 2. *Asumir juntos el compromiso de hacer cuanto sea necesario para rescatar el bienestar, la armonía y la seguridad de la relación.* A veces piensas equivocadamente que a quien le corresponde cambiar y mejorar es al otro, al que haces responsable absoluto de tu dolor... Te invito a reflexionar al respecto, apoyada en una linda frase que dice: "El conflicto en una relación de dos, es responsabilidad de esos dos". Así que juntos hagan votos y acciones para rescatar el amor. ¡No olvides que los compromisos deben ser apoyados por nuestros actos!

Receta 3. *Volverse a enamorar.* Esto implica comenzar de nuevo, respetarnos, comunicarnos, preguntarnos qué esperamos el uno del otro, qué necesitamos, qué nos gustaría sentir, sin recriminaciones de ausencia o vacío en el pasado. Se deben tener detalles amorosos, renovar las ganas, apoyados en el amor que todavía sentimos por el otro, el afecto, las caricias y el intercambio de responsabilidades.

Debemos vestirnos con nuestra mejor actitud para atraer y enamorar al otro.

Receta 4. *Cerrar las puertas de tu intimidad a los demás*. Si están dispuestos a comenzar de nuevo, es muy importante dejar afuera los comentarios y las consideraciones de los demás, a menos que vengan de una persona que los quiera bien y lo único que desee sea su felicidad. El único que sabe realmente cuánto ama y cuánto está dispuesto a dar, eres tú.

Receta 5. *Es muy importante buscar ayuda de un profesional en caso de que no puedan resolver o superar las diferencias ustedes mismos.* Cuando sentimos que comenzamos a hablar en idiomas diferentes, o caemos en las mismas discusiones sin llegar a una solución, o cuando el dolor-resentimiento nos vuelve ácidos, agresivos y poco dispuestos a encontrar la salida o la solución... es adecuado buscar ayuda de un buen consejero matrimonial.

Receta 6. *Tomen en cuenta el tiempo que necesitan*. Algunas veces las parejas no consideran el tiempo necesario para sanar las heridas del pasado, olvidando que todo proceso implica tiempo. Si decides darte la oportunidad, ya no te lamentes más, deja de sentirte víctima de tu pareja o de la vida, no investigues ni profundices más en lo que sucedió y acéptalo para que puedas realmente sanar y comenzar de nuevo.

SUGERENCIAS:

- *El ingrediente determinante para lograrlo aun a pesar del dolor, es que encuentres y reconozcas el amor dentro de ti.*
- *Tómate el tiempo necesario para que las emociones, los pensamientos y los sentimientos ocupen su lugar y recuperes la tranquilidad.*
- *Lo primero que se quiebra es la confianza. De manera que debemos tomarnos el tiempo y el trabajo de recuperarla. En este punto es importante considerar que son más importantes las acciones que las palabras.*
- *No permitas que el olvido inconsciente o lo urgente que puedan parecer ciertos pendientes te hagan ignorar la urgencia de atender con amor esa relación.*
- *Si esa es tu decisión, no dudes, no temas. ¡Adelante! No te detengas.*

Si por el contrario tu decisión es terminar... recuerda:

- *Reflexionar para asumir parte de la responsabilidad y alcanzar la claridad que te permita con el tiempo comprender por qué ocurrió.*
- *Practicar el perdón, de manera que puedas soltar y recuperar tu confianza y seguridad.*
- *No te mantengas en una relación que atente contra tus valores, dignidad o amor, porque sientes temor, inseguridad o porque pienses*

que no tienes otra opción. Haz cuanto sea necesario por rescatar tu relación siempre y cuando lo hagas por amor y con la anuencia y voluntad del otro, porque ¿sabes? ¡El amor en la pareja es de dos!

- *Vive tu duelo el tiempo necesario para sanar y recuperarte de la pérdida.*
- *Tómate el tiempo necesario para recuperar tu estabilidad y el permiso de abrirte a una nueva experiencia que no tiene por qué ser igual a una anterior, porque has crecido como producto de esa vivencia.*
- *Distrae tu mente y utiliza afirmaciones positivas para evitar que tus pensamientos te lleven a la tristeza.*

Cómo mantener a raya el estrés

Las circunstancias externas o internas, son muchas veces la causa de la tensión que se acumula dentro de nosotros. Ciertamente estamos sometidos a muchas presiones, pero es importante aprender a canalizar y manejar esas tensiones, antes de que se devuelvan contra nosotros mismos, haciéndonos perder el equilibrio necesario para vivir. Es a esta energía desequilibrada a la que llamamos estrés.

El estrés forma parte de la vida de muchas personas hoy en día. Los compromisos pendientes, los cambios, los imprevistos, los desacuerdos, las obligaciones, los temores y las necesidades pueden ser la causa frecuente de las tensiones que acumulamos interiormente. Aprender a manejar y a canalizar nuestras emociones, reacciones y procesos mentales, puede facilitar la liberación consciente y responsable del estrés.

Hay un estrés que se conoce como positivo, que se genera del proceso mental, creativo y efectivo o de una actividad física dirigida a obtener algún resultado específico. En este caso lo debemos considerar como parte de cualquier proceso creativo o activo, pero con el descanso habitual o con el cambio de actividad desaparece para dar paso a la sensación de bienestar por el trabajo o la tarea concluida.

El estrés es una de las principales causas de enfermedad. Muchas personas experimentan estrés debido a que han cambiado su felicidad por cosas materiales. Otras personas experimentan estrés en el trabajo porque no hacen lo que les gusta. Otras experimentan el estrés porque viven lamentando el ayer y temiendo el mañana.

Puedes elegir si vas a reaccionar o no a las circunstancias que te has creado y si ellas van a tener poder sobre ti, o si vas a aplicar tu poder para crear otras diferentes.

¿CÓMO PODEMOS LIBERARNOS DEL ESTRÉS?

Receta 1. *Si en este momento, estás experimentando estrés, una maravillosa manera de disolverlo es prestar atención a la respiración.* Si respiras plena y profundamente tomando conciencia de tu respiración, esto te ayudará a centrarte en el aquí y el ahora. La respiración consciente nos ayuda a liberar la tensión interna, a aquietar nuestra mente y a ubicarnos en presente, especialmente si aquello que te causa estrés está en el pasado o en el futuro.

Receta 2. *Practica alguna rutina física*. El ejercicio moderado pero constante hace que puedas liberar el estrés. Te oxigenas, aclaras tu mente y recuperas la serenidad que te hace falta para enfrentarte a la situación y darle solución. Hazlo con voluntad, perseverancia y disciplina; de esta manera encontrarás en el ejercicio una herramienta para recuperar tu tranquilidad.

Receta 3. *No postergues ni esperes soluciones mágicas*. Esto significa que es muy importante enfrentar y solucionar. Mientras más dejemos pasar el tiempo esperando que pase algo o que alguien se haga cargo de la situación, sin que tengas que hacer algo para resolverla, mayor será la tensión y por lo tanto experimentarás más estrés.

Receta 4. *Toma una buena ducha.* Cualquiera de estas opciones te ayudará a liberar el estrés. La mayoría de las veces las tensiones se acumulan en la espalda, los hombros y también en el cuello. Otras veces desencadenan una respuesta somática en el cuerpo, por ejemplo, un fuerte dolor de cabeza, un malestar de estómago o problemas de respiración... Cualquiera de estos síntomas que escapen a la rutina de tu cuerpo puede ser una señal de que la tensión se está acumulando en alguna zona débil de tu cuerpo. No olvides que una vez que te sientas relajado será importante que analices la situación que te afecta y le des una solución. De lo contrario, es posible que en muy poco tiempo vuelvas a sentir la presión.

Receta 5. *Procura desconectar tu mente de aquello que te presiona internamente*. Distrae tu mente por un momento, cambia de actividad, ve una película, léete un libro o simplemente conversa con alguien de cualquier otro tema. Así podrás descansar tu mente y recuperar la claridad que tal vez te hace falta para resolver o manejar esa situación o ese pendiente. La mayoría de las veces nos estresamos al no poder desconectar nuestra mente, que nos recuerda constantemente la causa de nuestro estrés.

Receta 6. *Practica la meditación.* Aprender a relajarte física y mentalmente, te llevará a liberar gran parte de las tensiones que tienes acumuladas internamente; además, profundizar en ese estado para establecer contacto con la presencia de la Divinidad, te permitirá experimentar paz interior.

SUGERENCIAS:

- *Una actitud defensiva sin aparente razón, puede ser la señal que te haga conciente de la tensión que guardas. Evita estallar y liberar la tensión con otros que no son responsables de tu proceso o de la situación que te afecta.*
- *Caminar con los pies descalzos por la orilla de la playa o en el césped del jardín, ojalá mojado, te hará sentir mejor.*
- *Escuchar la música de tu preferencia e inclusive dejarte llevar por el ritmo y bailar, puede serte muy útil.*
- *Hacer una lista de asuntos pendientes. Ocuparte de cada uno de ellos para resolverlos, sin postergar.*
- *Ejercicio físico. Salir a caminar alrededor de la cuadra. Hacerlo en el parque o en la plaza de tu urbanización puede ser suficiente.*

- *Aprender a relajarse o a meditar. Sobre todo si lo haces guiado por un cassette para que te sea más fácil la concentración.*
- *Mejorar la comunicación. Poder expresar lo que guardamos y pensamos silenciosamente.*
- *El contacto con la naturaleza.*
- *Aprender a decir que no.*
- *Desarrollar una actividad creativa.*
- *Practicar la respiración consciente. Cuando tomas aire di mentalmente: ¡Soy como el viento! y cuando lo exhalas repite mentalmente: ¡Sereno y libre!*

El significado del perdón

Perdona o necesita perdonar el que se ha sentido ofendido o herido. Se sienten heridos y ofendidos aquellos que ignoran que su verdadero ser no puede ser afectado por alguna frase, comentario, consideración o acción de otros, especialmente si estos son negativos.

Qué importante es fortalecernos internamente reforzar nuestra autoestima y seguridad para no tener que afectarnos por lo que dicen o hacen los demás. Si ves al mundo desde tu realidad, no te sentirás jamás ofendido y no necesitarás perdonar.

Perdonar presupone un juicio. No juzguemos y veremos que no hay ninguna cosa que necesite nuestro perdón.

A veces necesitamos perdonarnos a nosotros mismos, porque cada uno de nosotros es el responsable de su propia vida en todas sus manifestaciones. Cuando nosotros aceptamos y reconocemos esa responsabilidad, nos liberamos con gran alivio de las cargas del miedo, la culpa y la limitación. Entonces comenzamos a crecer a partir del amor a la vida, sabiendo que siempre hemos tenido el perdón que buscábamos, porque la vida nos ha permitido ser como hemos querido.

Con amor me perdono y perdono a los demás, y la vida me perdona a mí.

Cuando tus sentimientos son lastimados, haz de inmediato lo mismo que cuando te haces una pequeña herida. Ponte rápidamente un poco de mercuriocromo espiritual en la herida: haz una oración de amor y perdón y sánate.

Cuando el perdón es consciente y voluntario, actúa como un liberador del dolor que guardamos, también nos sana del resentimiento, la culpa, el temor o el deseo de venganza que podamos experimentar. Lo más importante es que la reflexión que hacemos para perdonar nos permite aprender de nuestros errores y de cada situación que vivimos, además de liberarnos del pasado porque fuimos lo suficientemente maduros y conscientes como para aceptarlo.

¿Cómo perdonar?

Receta 1. *Si vas a perdonar a otro:*

Realiza una reflexión acerca de todo lo que pasó, extiende tu comprensión hacia la ignorancia o inconsciencia del otro y su actuación, extrae algún aprendizaje presente en esa situación para ti (si no puedes encontrarlo en el momento, date tiempo y seguramente, cuando la afectación baje, obtendrás la claridad que te permita reconocer la enseñanza). Luego, acepta lo sucedido pues no hay forma de borrarlo o ignorarlo; sucedió y eso no puedes cambiarlo. Vive tu duelo, es decir libera tus emociones negativas y llénate de amor para encontrar un instrumento idóneo que te permita hacer llegar al otro tu perdón. Exprésalo clara y serenamente, sin demanda o crítica; si el otro no está de acuerdo o simplemente se cierra, no importa, pues para la Divinidad lo más importante es nuestra intención de perdonar o ser perdonado.

Receta 2. *Cuando vas a pedir perdón a otro:*

Lo más importante es tu limpieza de intención. Quiero decir, que realmente debes asumir la responsabilidad de tu falta aun cuando haya sido sin intención. Luego elige el momento y las palabras que usarás para pedirle perdón al otro, sin justificarte. No olvides que es muy importante expresarle nuestro compromiso de corregir o evitar que esto vuelva a suceder en el futuro. Hazlo sin esperar ser perdonado en el momento y entonces será la Divinidad quien desate el nudo que hizo que permanecieran atados a través del pasado.

Receta 3. *Cuando vas a perdonarte a ti mismo:*

Puede ser un poco más difícil perdonarte a ti que a otros.

Maneja la culpa a través de la reflexión; piensa que tal vez no tuviste la información, la preparación, la madurez o la conciencia que te permitiera actuar de otra manera. Asume el compromiso contigo mismo de aprender y hacer cuanto sea necesario para corregir tu error y superarlo de manera que no vuelva a suceder. No hagas responsable a otro para justificarte. Si consideras que la responsabilidad es compartida, asume tu parte sin enjuiciar al otro. Date tiempo y espacio para corregir o cambiar. Lo más importante es estar dispuesto a pagar el costo de nuestro error aun después de perdonarnos. Libera la culpa que puedas sentir y perdónate para darte una nueva oportunidad.

SUGERENCIAS:

- *A veces pensamos que guardar distancia física entre nosotros y los que nos agredieron, sin enfrentar la situación, nos dará la liberación... Pues no es así. Todo lo que dejamos pendiente en el tiempo, sin resolver, especialmente los conflictos o malentendidos, vuelven de nuevo a presentarse en nuestra vida para darnos la oportunidad de enfrentarlos y aprender de ellos.*
- *Perdonar no te obliga a continuar con la relación en los mismos términos; eres libre de colocar límites si lo consideras necesario o de tomar la decisión de no mantener la relación.*
- *Amar a otros a pesar de nuestra consideración, es el reto y el resultado del perdón verdadero.*
- *Hacer una llamada, visitar a la persona o enviar un mensaje para dar o pedir el perdón.*
- *Pedir o dar el perdón es la oportunidad que tenemos de cerrar ciclos y comenzar nuevos.*
- *Si no pudieras localizar a esa persona que buscas, utiliza un pensamiento libre de rabia, dolor, venganza o culpa para enviarle o pedirle*

perdón. El Amor y la limpieza de intención harán que esa energía liberadora que es el perdón, encuentre su destino.

- *El perdón debe estar acompañado de un deseo verdadero de soltar y perdonar.*
- *Recordar que nada sucede por casualidad; entonces por alguna razón experimentamos esa situación. Debemos abrir nuestra mente para preguntarnos qué podemos aprender de eso.*
- *Extender nuestra comprensión por amor hacia las personas que sentimos responsables de la situación y considerar que no tenían la conciencia, el conocimiento o la responsabilidad que les permitiese actuar o comportarse de otra manera.*
- *Dejarnos llevar por el amor, para vencer nuestro resentimiento y sanar el dolor.*
- *Tiene que llegar un momento en que nuestro crecimiento interior te permita comprender y aceptar a los demás con sus diferencias, limitaciones y errores para no necesitar perdonar más.*
- *Enviar pensamientos de Amor y felicidad a todas aquellas personas que te hayan herido o afectado en algún momento de tu vida y libérate.*

"No olvides que el perdón se da desde el corazón y no desde la cabeza".

Disfrutar la vejez

La vejez es una etapa importante en la vida de todo ser humano. Es el momento donde hemos alcanzado el conocimiento y la experiencia que nos permiten disfrutar la vida con más facilidad. Al mismo tiempo, ya abiertos a intercambiar con las personas a nuestro alrededor, estamos complementando nuestro desarrollo interior, en busca de estadios superiores

Es importante que podamos vencer los temores y las actitudes negativas y a veces empecinadas, que nos impiden relacionarnos con los demás, especialmente con las personas que amamos. Experimentar la plenitud de nuestras vidas nos hará asumir una actitud positiva y optimista frente a la vida, recordando que la juventud no tiene edad y que es una condición del espíritu. Evitar estar condicionado por el entorno y por la consideración limitada y negativa de los demás acerca de lo que podemos hacer o lograr, nos ayudará a fortalecer la seguridad, la confianza y el entusiasmo que necesitamos para disfrutar de esa edad.

Ábrete a recibir, escuchar, intercambiar, participar y compartir con los demás, especialmente con las personas que amas. A veces una mala actitud por nuestra parte hace que los seres que más amamos eviten compartir con nosotros y acompañarnos.

¿CÓMO DISFRUTAR DE LA TERCERA EDAD?

Receta 1. *Renueva tu vitalidad.* Es muy importante una alimentación sana y balanceada que incluya muchos alimentos naturales y sin preservativos químicos. Tomar mucho líquido, bajar el azúcar blanca, la sal, las grasas y las carnes más tóxicas. Al mismo tiempo es determinante la práctica regular de alguna actividad física que te permita mantener tu cuerpo fuerte, resistente y vital. Evita la pasividad, pues te llevará fácilmente a la vejez mental y corporal.

Receta 2. *Desarrolla algún hobbie.* Si estás retirado y con muy pocas responsabilidades, te sugiero que encuentres una actividad creativa y entretenida que sirva para mantenerte ocupado y divertido. Esto hará que hagas nuevos amigos, y que incluso te acerques más a ese ser querido que tiene afinidad contigo.

Receta 3. *Desarrolla el sentido del humor.* Elimina tus barreras, relaja tu mente y abre tu visión para reconocer las cosas bellas, especiales y divertidas de la vida. Ríete con facilidad, afloja tu entrecejo y verás que de esta manera pasarás con más facilidad los momentos de dificultad. ¡Desarrolla una personalidad agradable!

Receta 4. *Trabaja internamente para tener una mente más positiva.* La tendencia es que con los años y los condicionamientos, el ser humano común se vuelve temeroso e inseguro, formando con esto una mente más negativa. La justificación de este proceso para muchos es que la edad provee la experiencia que te protege de cualquier riesgo, dolor o peligro en la vida.

En realidad, la madurez y el crecimiento a lo largo de la vida te dan seguridad, confianza, serenidad y capacidad de aventurar, crecer y disfrutar. Reflexiona acerca de esto y haz ajustes si fuese necesario.

Receta 5. *Elimina de tu vocabulario la queja, la crítica y el juicio hacia ti mismo o hacia los demás.* Verás como este simple pero importante cambio, alarga tu juventud y vitalidad. ¡Vamos! Tú eres alguien especial y preparado para vivir con calidad mucho tiempo más, a pesar de los cambios físicos de tu cuerpo.

SUGERENCIAS:

- *Conservar el sentido de ser útil.*
- *Mantener una actividad que nos estimule mental y físicamente.*
- *Realizar una rutina de ejercicio físico, si es posible al aire libre.*
- *Hacer amigos y mantener la amistad a pesar de la resistencia física y emocional que podamos experimentar.*
- *Reforzar con decretos positivos nuestra actitud frente a la vida.*
- *Darnos permiso para disfrutar sin temor o prejuicios.*

- *Recordar que la verdadera juventud es del espíritu. De manera que la actitud positiva, el entusiasmo, la disposición y la sonrisa ocupan un papel determinante para una buena vejez.*
- *Vivir en presente. Vivir momento a momento. Evitar preocuparnos por lo que ocurrirá después.*
- *Tomar la decisión de aprender o practicar algo nuevo en la vida.*
- *Abrir tu comprensión hacia los otros, especialmente hacia los tuyos, de manera que las relaciones se fortalezcan.*
- *Asistir a cursos cortos de aquello que siempre quisiste hacer o aprender. Nunca es tarde para alimentar y hacer crecer ese espíritu maravilloso que tenemos.*
- *Abrir tu mente y tu corazón. Cuida tu cuerpo como si fuese el instrumento más preciado, vuélvete optimista y comprensivo; no guardes malos recuerdos o resentimientos, perdona y suelta; vive el momento, en presente; encuentra un hobbie para practicar o mantenerte productivo, no importa en qué nivel, recuperando el sentimiento de ser útil al mundo sin que te importe la proporción.*
- *Darte permiso para disfrutar, experimentar, aventurar, aprender, crecer y compartir el producto de tu experiencia y de lo que descubres hoy.*
- *Dejar de sentirte víctima de la vida, de los otros, o de Dios y tomar la iniciativa de vencer*

el temor y la resistencia a aprender a vivir y pensar de otra manera...

- *Aceptar a tus seres queridos como son. No quieras cambiarlos y disfruta del momento que puedas pasar con ellos.*

"Y si estás solo, limitado o incapacitado, fortalece tu fe, la confianza en Dios y en la vida. Ocúpate de continuar aun en esa situación, dando lo mejor y verás que siempre aparece un instrumento perfecto que te tienda su mano y te levante; cuando esto ocurra, permítelo. No ofrezcas resistencia y aun cuando no sean las personas que siempre esperaste que lo hicieran, acéptalas y perdona a las otras. Recuerda: siempre recibimos en la vida , aquello que damos y quien nos lo devuelve puede ser una persona diferente y hasta desconocida, en otro momento y en otra circunstancia, pero siempre será el momento perfecto para recibirlo".

La alegría de vivir

Tener alegría de vivir implica contar con la energía necesaria para vivir la vida con facilidad. Implica que hemos fortalecido la fe y la confianza en nosotros mismos y en la Divinidad. Esta convicción nos permite enfrentar las dificultades con la seguridad de que podemos convertirlas en oportunidades para crecer internamente. Cuando dejas que la alegría te llene, esta hace que te manifiestes de forma fresca, espontanea y natural. La alegría aumenta tu comprensión y tolerancia hacia los demás.

La alegría proviene de tu condición espiritual e implica que trabajas en el sostenimiento de tu paz y de tu serenidad. Es producto de un trabajo personal e interno que muchas veces exige el sobreponerte a pensamientos negativos, temores y a las dificultades a tu alrededor.

La alegría es la expresión serena de un espíritu efervescente y lleno del amor y sabiduría Divinos. Es simplemente la expresión natural de un estado interno de bienestar y felicidad. Refúgiate en ella para elevarte por encima de los momentos difíciles; levántate y sube ese ánimo que en este momento experimentas por tener uno de los regalos más grandes que has recibido... ¡La Vida!

¿CÓMO PODEMOS SER MÁS ALEGRES?

Receta 1. *El día de hoy proponte sonreír.* Tal vez al principio sea una sonrisa forzada por el deseo de experimentar la tranquilidad y el bienestar en tu vida, pero la práctica constante y consciente de ella, te dará en el momento preciso, la posibilidad de sonreír de forma espontánea y natural. ¡A ver... una sonrisita!

Receta 2. *Disponte a mejorar tu humor.* Para ello es importante aprender a manejar tus reacciones y evitarlas si son negativas. Respira profundo la próxima vez que sientas las ganas de reaccionar agresivamente o con acidez; en su lugar busca las palabras adecuadas para decirle al otro lo que sientes o piensas en ese momento, con la intención de solucionar o producir el entendimiento. Decide ampliar tu margen de aceptación hacia los demás, especialmente si se comportan o actúan de forma diferente de lo que esperas por parte de ellos. Toma sólo lo bueno de cada quién y si observas algo negativo, díselo con las mejores palabras y el mas limpio sentimiento.

Receta 3. *Aprende a practicar la respiración consciente.* Ejercítala especialmente en ambientes al aire libre, en contacto con la naturaleza. Muchas veces la contemplación de paisajes naturales, en silencio y soledad, nos permite hacer contacto con nuestra paz.

Receta 4. *Siéntete vivo, lleno del amor y de la presencia de Dios.* Recuerda que eres un instrumento suyo al servicio de la vida y su creación. Conéctate con la fuente de su Presencia y Amor en tu interior. Recuerda que no estás solo. Sal a la vida para esparcir paz, amor y comprensión hacia los demás.

Receta 5. *No te dejes afectar profundamente por nada.* Sal de la tristeza, la apatía, el desánimo o la falta de motivación que experimentas por algún suceso en tu vida. Recuerda que todo pasa, y cada situación con sus caraterísticas, nos trae la oportunidad de reflexionar y revisar. Levántate y recupera la alegría... ¡Cada día sale el sol para todos!

Sugerencias:

- *Haz una lista de todas las cosas pequeñas y grandes que tienes, para reconocer y apreciar todos tus regalos.*
- *Aprende a disfrutar de las cosas sencillas de la vida.*
- *Ábrete a experimentar el amor y el contacto con tus seres queridos.*
- *Decide sonreír abiertamente, sin temer lo que otros puedan considerar.*
- *Deja de ver qué tienen los otros diferente de lo que tienes tú.*
- *Recuerda que tu amor armoniza al mundo.*
- *Estás vivo, entonces todavía puedes alcanzar lo que deseas, no importa qué tan grande sea tu sueño. ¡Adelante, ve por él!*
- *Muchas veces el motivo de la alegría suele ser momentáneo; también la alegría lo es.*

- *Siempre caminamos movidos por impulsos externos; la alegría y el bienestar aparecen o desaparecen con una buena o mala noticia.*
- *Una alabanza trivial, un éxito aparente, un juicio u opinión favorable, un regalo inesperado o un halago fugaz y pareciera que nuestro corazón se llena.*
- *La suma de muchos motivos pasajeros jamás nos dará una alegría profunda y verdadera .*
- *Una alegría verdadera, profunda y estable debe tener un motivo real, duradero y sólido.*
- *La razón de nuestra alegría profunda y auténtica reside en la convicción de que cada uno es fuente de vida, inteligencia, felicidad y amor.*
- *Cuando hacemos contacto con la Presencia Divina, la existencia se convierte en alegría y paz.*
- *Cuando te sientas pleno en cada instante del día, seras feliz.*
- *Las frases optimistas y las lecturas positivas pueden mejorar momentáneamente tu estado de ánimo; contacta el amor dentro de ti y ábrete a compartirlo con otros, más allá de tus prejuicios.*
- *La alegría es la elevación de tus pensamientos y emociones sobre las limitaciones y temores, hacia la paz interior. Es el conocimiento y la comprensión de los principios de la vida, puestos en práctica a través del reconocimiento de tu verdadero ser.*

"La alegría aumenta cuando
la compartes y disminuye cuando
tratas de conservarla sólo para ti".

El fracaso te acerca al éxito

Si la adversidad te ha mantenido derrotado durante un periodo largo, probablemente se deba a que te has repetido a ti mismo durante semanas, meses e incluso años que no hay nada que puedas hacer al respecto. Cuando enfatices y vuelvas a remarcar una actitud positiva, convencerás a tu propia mente de que puedes vencer los obstáculos.

La experiencia del fracaso puede ser para unos el final del proceso de intentar, mientras que para otros, puede ser el impulso de nuevos procesos hacia la búsqueda del éxito.

La historia de personas exitosas está llena de un sinnúmero de intentos fallidos, pero la perseverancia, la voluntad y el deseo de alcanzar su sueño ha hecho que no desmayaran. El fracaso nos da la información que necesitamos muchas veces para enderezar o encontrar el verdadero camino hacia al éxito.

¿CÓMO LEVANTARNOS DEL FRACASO?

Receta 1. Lo más importante cuando te enfrentas al fracaso es no dejarte hundir por él. *Reflexiona acerca de lo sucedido y pregúntate de qué manera puedes lograr ser más efectivo la próxima vez. No te desanimes ni apagues tu entusiasmo por mucho tiempo. ¡Arriba y adelante! ¡Inténtalo de nuevo!*

Receta 2. *Alimenta tu entusiasmo y refuerza tu optimismo.* Repítete a ti mismo: Si puedo lograrlo, cada vez estoy más cerca de alcanzarlo. Recuerda que la repetición de frases alentadoras nos permite recobrar la confianza en nosotros y en la Divinidad, para volver a intentarlo.

Receta 3. *Lee la historia de algunas personas exitosas,* de aquellas, que aunque lo intentaron muchas veces sin éxito, perseveraron en su intento hasta lograr su cometido. Inspírate en ellos y levántate una vez más. ¡Tú también podrás hacerlo!

Receta 4. *Encuentra aquello que deseas alcanzar.* Define tu meta y ponle pasión, para que al primer obstáculo no te detengas. Deséala con fuerza. Suma el valor, la perseverancia, la disciplina, el trabajo y la intención para alcanzarla.

Receta 5. *Aprende a ver el fracaso como un amigo.* Recuerda que todo lo que vivimos nos permite crecer y que sólo cuando estamos listos, porque en realidad hemos hecho todo lo que podíamos, el resultado aparece en nuestras vidas. ¡No te detengas!

Receta 6. *Visualiza tu meta mentalmente.* Crea una imagen mental de la situación que deseas vivir y luego recréala en tu mente cada noche antes de irte a dormir. Imagínala con el mayor detalle posible, y al final da gracias a la Divinidad como si ya te la hubiese concedido.

Sugerencias:

- *Tus fracasos en la vida vienen de no darte cuenta que estás cerca del éxito cuando te das por vencido.*
- *La verdad es que tenemos que aprender lecciones a través de nuestras experiencias.*
- *Lo que parece ser un fracaso nos enseña lo que no debemos hacer. Nos hace reenfocar de nuevo las cosas.*
- *Debes actuar como si fuera imposible fracasar.*
- *Si adoptas una actitud de fracaso, puedes estar seguro de que vas a fracasar. En cambio, si practicas el entusiasmo en las cosas más sencillas, su inmenso poder inmediatamente comenzará a hacer maravillas en ti.*
- *No permitas que ningún obstáculo te detenga. Recuerda que siempre cuentas con cualidades mentales y espirituales que pueden vencer hasta lo que parece imposible.*
- *No dejes que la crítica y los comentarios negativos de otros acerca de tu situación te desanimen o te detengan en tu esfuerzo por triunfar.*
- *Desarrolla la voluntad y la determinación de actuar.*

- *Reflexiona acerca de lo sucedido para encontrar algo positivo que te permita ser más asertivo la próxima vez.*
- *Deja de considerar que ya no lo puedes lograr.*

"El fracaso es la forma más segura de acercarnos al éxito".

La amistad

Ella es uno de los regalos más especiales que podemos disfrutar en la vida. Producto del amor y de la afinidad, dos o más personas se encuentran para compartir y acompañarse a experimentar y caminar el sendero de la vida, sin que esto signifique en algún momento dejar de ser tú mismo para parecerte a tu amigo o que él desee hacerte cambiar.

El respeto, la confianza, la lealtad, el aprecio, la responsabilidad compartida, el intercambio, el deseo de dar y la alegría, hacen de cada uno de nosotros un buen amigo para otros.

La amistad perdura, más allá de la distancia, las diferencias, los desacuerdos, los cambios y los movimientos que experimentamos en la vida, porque se aloja en nuestro corazón.

Generalmente esperamos más de lo que estamos dispuestos a dar. Esto hace que tengamos poco derecho a recibir de forma incondicional. Renunciar a los celos, la envidia, el resentimiento, la mentira, el engaño, la infidelidad, el juicio, la critica y la exigencia, nos permitirá tener amigos cuando los necesitemos.

Muchas veces los amigos se convierten en una extensión de nuestra familia cuando somos adultos. Además, son esas personas que nos hacen sentir queridos y acompañados en muchos momentos de nuestra vida.

¿Cómo fortalecer la amistad?

Receta 1. *Aprende a valorar a tus amigos.* La manera como los tratamos es un reflejo de nuestras ideas y valores acerca de la vida. Cuando no somos capaces de nutrir nuestras amistades, es una señal de que no sabemos nutrirnos a nosotros mismos. Cuando tratamos a nuestros amigos con respeto y amabilidad, ellos tienen la obligación de hacer lo mismo. Cuando valoramos a nuestros amigos y ellos siente la relación que tenemos, harán cuanto sea necesario para mantener la relación en ese nivel.

Receta 2. *Da siempre lo mejor de ti.* Algunas personas permanecen atentas a lo que esperan recibir por parte de sus amigos, sin preguntarse cuán dispuestos están a entregar lo que esperan recibir por parte de ellos... Dar significa entregar sin esperar recompensa a cambio. Vence el egoísmo, la ambición y los celos; sólo de esta manera podrás hacerlo.

Receta 3. *Acepta a tu amigo como es.* Esto te evitará hacer juicios acerca de su estilo de vida o comportamiento, logrando que ambos se sientan libres para ser auténticos, de forma natural y espontánea. No quieras cambiarlo, acéptalo como es y quiérelo incondicionalmente; de esta manera construirás un espacio a salvo para compartir y crecer mutuamente.

Receta 4. *Riega la planta de la amistad de vez en cuando*. La amistad es como una plantita delicada que necesita de nuestras atenciones y cuidados para crecer en el tiempo. Ciertamente, la amistad no nos obliga a que permanezcamos todo el tiempo uno al lado del otro. Pero es importante tener detalles para que a pesar de las ocupaciones, los cambios y la distancia que pueda separarnos en un momento dado, le hagamos llegar al otro nuestro sentimiento de aprecio, cariño y apoyo incondicional.

Una llamada, una nota, un regalo, una visita, tal vez sólo te tome un par de minutos. Hacerlo refrescará la vida de tu amigo.

Receta 5. Ábrete a escuchar la sugerencia amorosa y desinteresada de tu amigo. Muchas veces un amigo es la persona que te dirá cosas que no quieres oír, pero que te servirán para revisar y reflexionar, dándote la oportunidad de cambiar, mejorar o ajustar tu camino de vida. Además, sabes que puedes confiar, porque lo único que desea es verte florecer y ser feliz.

Receta 6. *Sé afectuoso*. Ten detalles frecuentes, usa palabras amables, practica el reconocimiento, especialmente cuando tu amigo hace cosas por ti, aunque las consideres pequeñas. Esto hará que tu amistad se fortalezca.

Receta 7. *Evita tomar una postura cómoda en la relación de amistad.* La comodidad puede hacer que nos volvamos pasivos y esto puede fácilmente marchitar la amistad. El intercambio es indispensable para que se mantenga el deseo de dar. Toma la iniciativa muchas veces, para compartir momentos de calidad, muéstrate interesado en los eventos que vive tu amigo y asume una posición activa en la dinámica de la relación con tus amigos.

SUGERENCIAS:

- *Ten detalles, para expresarle tu afecto.*
- *Aprende a escuchar, sin interrumpirlo o presuponer lo que va a decir. La mayoría de las veces lo que necesitamos es que alguien nos escuche para recuperar la claridad que nos hace falta para ver la salida o la solución.*
- *Practica el respeto a la intimidad compartida. No divulgues la intimidad o el secreto de tus amigos.*
- *Comparte tiempo de calidad. No los busques sólo cuando tienes problemas; hazlo también para compartir momentos de disfrute.*
- *Acepta y respeta las diferencias personales.*
- *Sé leal e incondicional en la amistad; la confianza fortalece el vinculo que nos une.*
- *Guarda silencio sobre los secretos compartidos.*
- *Evita el juicio y la crítica, especialmente en ausencia de ellos.*
- *No quieras mostrarte superior.*
- *Interésate en apoyar a tus amigos en los momentos difíciles.*

- *Evita ser exigente en la relación.*
- *Maneja los celos de la infancia y siéntete seguro del cariño en tu amistad.*
- *Perdona si fuese necesario. No te resientas.*
- *Evita la susceptibilidad y no interpretes alguna de sus actitudes como una ofensa personal.*

Tiempo de calidad

Si el trabajo te agobia, si sales muy temprano de tu casa y regresas muy tarde y no encuentras tiempo para descansar y compartir con tus seres queridos, necesitas urgentemente hacer un paréntesis en tu agitada vida para recuperar el ritmo.

Encuentra tus momentos de bienestar; no siempre lo urgente es lo más importante, aprovecha cualquier momento disponible para compartir con tu pareja, tus hijos o tus amigos. Recuerda que es más importante la calidad que la cantidad de tiempo que compartimos. Buscar esos momentos especiales, a pesar de las circunstancias, es un compromiso contigo mismo.

¿Has sentido que tus días transcurren a tanta velocidad que te encuentras sin la posibilidad de disponer de un buen momento para disfrutar?, ¿Te ocurre que sales muy temprano de casa cada mañana y regresas tarde, sin tener la posibilidad compartir un momento con tus seres queridos?, ¿Cuánto tiempo hace que no les lees un cuento a tus hijos antes de dormir?, ¿Cuánto tiempo hace que invitaste a tu pareja al cine o a ver juntos un buen programa de televisión?

Es importante bajarle el ritmo a nuestra vida, de manera que podamos encontrar tiempo de calidad para disfrutar. Los pequeños momentos que compartimos prestando toda nuestra atención, aumentan y refuerzan la calidad afectiva de nuestras relaciones. Es la atención y la dedicación que nos prestamos los unos a los otros, lo que nos hace sentir queridos.

Recuerda la última vez que le hablaste a tu pareja mientras ella leía el periódico. ¿Cómo te sentiste? Lo que en realidad querías era su atención, que dejara el periódico por un momento y te atendiera. No es la cantidad de tiempo que pasamos juntos lo que nos hace sentir apreciados, sino los momentos que compartimos en presente, haciendo sentir al otro la persona más importante para nosotros.

Cuando nos dejamos atrapar por las situaciones difíciles que ocurren a nuestro alrededor, el estrés hace que muchas veces terminemos afectando nuestra relación con los demás, especialmente con las personas que más queremos. En este caso, estamos programados para que el tiempo nos alcance para cumplir con nuestros asuntos pendientes u obligaciones, y no para utilizar parte de este tiempo en fortalecer el amor y los buenos sentimientos que nos unen a las personas que amamos.

Te invito a tomar una respiración suave y profunda para aquietarte por un instante. Baja el ritmo que trae tu vida y revisa el sentido de prioridad en las muchas ocupaciones que llenan tu día. No permitas que todo lo que vives afuera con tanta intensidad, te impida ocuparte de las cosas que en realidad son importantes.

¿Cómo podemos tener mas momentos de calidad?

Receta 1. *Comienza por ordenar y escribir en una agenda todas tus cosas pendientes.* Asigna una prioridad a cada una de ellos, de manera que puedas organizarte y no sentirte tan abrumado todo el tiempo.

Receta 2. *Incluye dentro de tu planificación un tiempo para estar con los tuyos.* En tu lista de asuntos pendientes agrega actividades divertidas para compartir con tus seres queridos y toma en cuenta los intereses de cada uno de ellos, incluyendo los tuyos.

Receta 3. *Aprende a fijar tu atención en el presente, especialmente cuando estás en compañía de las personas que quieres.* Escúchalos con atención y sin interrumpirlos; mientras les hablas, míralos a los ojos. Muéstrate interesado en sus actividades y también en sus sentimientos personales acerca del momento que están viviendo.

Receta 4. *Favorece los momentos de disfrute.* El permiso para reír, aventurar, improvisar, relajarse y experimentar, aumentan el disfrute de los momentos compartidos.

Receta 5. *Comparte momentos de calidad con tus hijos.* La próxima vez que recojas a tu hijo en la escuela, escúchalo con atención cuando te cuente cómo le fue con la maestra. No permitas que los problemas pendientes que todavía tienes en la cabeza o el teléfono celular, te hagan decirle una vez más: “ahora no tengo tiempo, espera un momento, más tarde cuando lleguemos a casa...". Es posible que cuando decidas atenderlo, sea demasiado tarde. Vive el momento presente, no te sientas mal por lo que no hiciste y decide cambiar tu actitud ahora. ¡Este es el momento perfecto para comenzar de nuevo!

"Recuerda que hay momentos que no se repiten y es muy importante no perderse ninguno de ellos. Toma la decisión de administrar tu tiempo adecuadamente para disponer de más momentos de calidad que te permitan aumentar la plenitud de tu vida".

Recetas para el amor eterno

El amor en la pareja es como la luna: cuando no crece, decrece.

Una de las relaciones más especiales que podemos experimentar es la relación de pareja. Cuando vivimos en pareja y con amor, dejamos de estar solos y comenzamos a disfrutar de la compañía de la persona que amamos. Una relación de pareja ideal es aquella en la que los momentos agradables son tantos, que nos estimulan a dar lo mejor de nosotros para conciliar y suavizar los momentos difíciles.

No hay secretos ni fórmulas mágicas para sentirse eternamente enamorado de tu pareja; el amor es como una llama que cuando se enciende, hay que protegerla y alimentarla para que no se apague. El amor no vive por sí solo; en nuestras manos está mantenerlo y renovarlo continuamente para que no desaparezca irremediablemente. Es un trabajo continuo que requiere de algunos ingredientes que debemos incluir en nuestra relación diaria, para disfrutar de la felicidad de estar juntos.

Hay que evitar caer en la rutina y darle a la relación un toque mágico, esos pequeños rituales de amor que convierten momentos ordinarios en extraordinarios, basándose en un intercambio permanente de amor, creatividad y sentido común, los cuales constituyen la esencia misma de la vida en pareja.

Mantener vivo el amor hacia la persona que amamos, es un reto diario y por eso es fundamental incorporar en nuestra vida cotidiana, ingredientes vitales como la entrega, la aceptación, la consideración, el respeto, la creatividad, la comprensión, la amistad, las metas comunes y los detalles, para que nuestra pareja se sienta querida, apreciada y acompañada.

La pareja debe ser nuestro mejor amigo o amiga, debe ser nuestro confidente y nuestro cómplice, nuestro compañero en la aventura de la vida. En el periodo del enamoramiento nos embarga una poderosa fuerza de amor, emoción, entusiasmo, entrega y sueños rosados. Estamos dispuestos a dar lo mejor de nosotros y nada nos parece imposible cuando de la otra persona se trata. Pero, ¿cuánto tiempo nos dura este sentimiento? El amor puede durar tanto como nosotros queramos; el secreto está en dar y no esperar, en usar la fórmula del 60/40, que significa que siempre estaremos dispuestos a aportar el 60% y a esperar con satisfacción un 40% de retorno.

Casi todos esperamos de nuestra pareja ciertas actitudes y comportamientos, pero cuando no los recibimos, fácilmente nos desilusionamos. Por eso debemos primero conocernos a nosotros mismos, identificando nuestras carencias para satisfacerlas, sin esperar que alguien lo haga por nosotros. Es imprescindible aprender a querernos para poder querer a otro; no olvidemos que nadie puede dar lo que no tiene.

Otro ingrediente importante es el respeto a nuestras diferencias personales. No podemos pretender cambiar a nuestra pareja; recordemos que sólo podemos transformarnos a nosotros mismos a través de nuestra voluntad y determinación. Aceptar nuestras diferencias será el instrumento para enriquecer nuestro amor y hacernos crecer como individuos. Cuando una pareja logra comprenderse y aceptarse, con sus limitaciones y virtudes, se alcanza una relación estable.

La entrega juega un papel determinante en esta receta del amor; es el acto de ponernos en manos del otro y confiar, corriendo el riesgo de no ser correspondidos. Aceptar que necesitamos y queremos la compañía del otro para recorrer el sendero de la vida, también es un acto de confianza y fe.

El reconocimiento al esfuerzo y el aporte a la relación por parte de tu pareja, estimula a continuar dando lo mejor de sí y al mismo tiempo a hacer sentir querido al otro.

Los canales de comunicación deben estar siempre libres para solucionar desacuerdos sin sentirnos afectados y para conocernos y hacer los ajustes necesarios en nuestra relación. La tolerancia, la comprensión y la apertura son necesarias para solucionar los malentendidos en el amor.

Tener metas en común, nos llevará a trabajar juntos para el bienestar y la realización de los dos. Un sueño en común al final del camino nos hará compartir el placer de la mutua compañía.

"Estos ingredientes no deben guardarse en la mesa de noche o en la caja de primeros auxilios; debes tenerlos a mano para usarlos todos los días. Recuerda que de esta manera estás haciendo crecer el amor entre los dos".

Confía en ti mismo

Muchas veces la falta de confianza en ti mismo, en los otros o en la Divinidad, es lo que te genera un sentimiento de inseguridad. El desconocimiento de tus capacidades y talentos, junto a la falta de estímulo para reconocerlos a lo largo de tu vida, han hecho que ignores el ser humano maravilloso que eres y todo lo que en realidad eres capaz de hacer.

Generalmente son las situaciones difíciles e inevitables las que nos enfrentan con nosotros mismos. A veces no reconocemos el valor y la capacidad de las herramientas que poseemos, e incluso por mucho tiempo pensamos que les pertenece a otros y no a nosotros. Por esta razón, cada vez que pasamos por un momento difícil, inseguros y temerosos, internamente crecemos aunque lo experimentemos con dolor y dificultad.

Yo desde aquí veo en ti a una persona capaz, valiosa, con experiencia y conocimientos necesarios para emprender un camino que te lleve a una vida mejor. Atrévete a soñar, a ser activo y participativo, a trabajar para conseguir lo que deseas. Atrévete a expresar tus ideas y consideraciones con los demás, a vivir con la convicción de que puedes ser feliz y tienes derecho a ocupar tu lugar en el mundo.

¿CÓMO AUMENTAR LA CONFIANZA EN MÍ MISMO?

Receta 1. *No temas cometer errores.* Todos nos equivocamos muchas veces y es posible que haya personas a las que no le gustamos, pero sólo podremos vencer estos obstáculos en la medida en que nos atrevamos a experimentar y a tratar de alcanzar logros.

Receta 2. *Mantén una actitud confiada y entusiasta.* Anímate y el día de hoy sal a la calle con una sonrisa; repítete mentalmente: Soy seguro, me siento seguro y actúo con seguridad. La repetición de afirmaciones positivas te ayudará a fortalecer una mente positiva. Escríbelas y colócalas en sitios donde las puedas ver y leer con frecuencia.

Receta 3. *Fortalece tus áreas débiles.* Decide aprender para superar tus limitaciones de manera que ganes seguridad en tus capacidades y te arriesgues a actuar con más confianza. Hay personas que, aun a sabiendas de una limitación, no reúnen el valor y la determinación de superarla. La transformación personal implica la superación y la corrección de nuestras limitaciones. ¡Eso es crecer!

Receta 4. *Desconecta tu atención de otros y concéntrala en el esfuerzo que estés haciendo.* La inseguridad aumenta cuando esperamos ser aprobados, calificados o reconocidos... Cuando realizamos una tarea, labor o acción con el deseo de dar lo mejor de nosotros y sin fijarnos en el resultado sino en el proceso, aumenta nuestra seguridad y son mejores los resultados.

Sugerencias:

- *Recuerda con frecuencia que eres un instrumento de la Divinidad y no olvides que estás aquí para aprender.*
- *Practica diariamente afirmaciones positivas acerca de tu capacidad.*
- *Vence el temor y decide participar en alguna actividad de tu preferencia.*
- *Mírate al espejo al levantarte y repítete a ti mismo: Soy capaz y todo va a estar muy bien.*
- *Estimula a otros a través del reconocimiento de sus talentos o habilidades.*
- *Todo lo negativo o defectuoso que tú u otros ven en ti, no es sino una idea falsa de tu realidad.*
- *Te invito a que experimentes y te convenzas de que eres más que todo lo que piensas y has pensado de ti.*
- *No te compares con otros. Mírate como un instrumento de la vida, hecho a imagen y semejanza de Dios.*
- *No hay que trabajar en contra de nuestros defectos y limitaciones, sino a favor de nuestras cualidades.*
- *Ten seguridad y confianza, porque aunque tu mente te hable de puertas cerradas y de soledad, ese es un engaño temporal y pasajero. Tú estás destinado a ser luz para muchos que*

necesitan de ella y de tu amor. No te quedes encerrado en tu rincón y muéstrate al mundo como eres.

"Siempre buscamos apoyo fuera de nosotros. No debes buscar en el exterior lo que sólo está en tu interior. Si necesitas fuerza, tú eres una fuente de energía y de poder. ¡Atrévete a vivir la diferencia!".

Otros libros editados por Editorial Centauro Prosperar

URI GELLER, SUS PODERES MENTALES Y CÓMO ADQUIRIRLOS
Juego de libro, audiocasete y cuarzo
Autor: Uri Geller

Este libro revela cómo usted puede activar el potencial desaprovechado del cerebro, al mejorar la fuerza de la voluntad y aumentar las actividades telepáticas. Además, explica cómo usar el cristal energizado y el audiocasete que vienen junto con el libro.

Escuche los mensajes positivos de Uri mientras le explica cómo sacar de la mente cualquier pensamiento negativo y dejar fluir la imaginación. El casete también contiene una serie de ejercicios, especialmente creados por Uri Geller, para ayudarle a superar problemas concretos.

EL PODER DE LOS ÁNGELES CABALÍSTICOS
Juego de libro y videocasete
Autora: Monica Buonfiglio

Esta obra es una guía completa para conocer el nombre, la influencia y los atributos del ángel que custodia a cada persona desde su nacimiento.

Incluye información sobre el origen de los ángeles. Los 72 genios de la cábala hebrea, el genio contrario, la invocación de los espíritus de la naturaleza, las oracio-nes para pedir la protección de cada jerarquía angélica y todo lo que deben saber los interesados en el estudio de la angeología. Ayuda a los lectores a perfeccionarse espiritualmente y a encontrar su esencia más pura y luminosa. En su primera edición en Brasil en 1994, se mantuvo entre la lista de los libros más vendidos durante varios meses.

ALMAS GEMELAS
Aprendiendo a identificar el amor de su vida
Autora: Monica Buonfiglio

En el camino en busca de la felicidad personal encontramos muchas dificultades; siempre estamos sujetos a los cambios fortuitos de la vida. En este libro, Monica Buonfiglio aborda con maestría el fascinante mundo de las almas gemelas.

Dónde encontrar su alma gemela, cómo reconocerla o qué hacer para volverse digno de realizar ese sueño? En esta obra encontrará todas las indicaciones necesarias, explicadas de manera detallada para que las ponga en práctica.

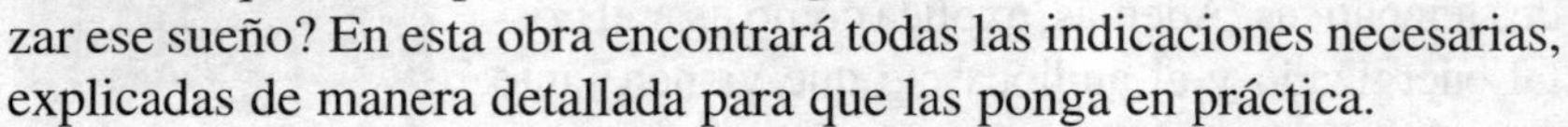

Lea, sueñe, amplíe su mundo, expanda su aura, active sus chakras, evite las relaciones kármicas, entienda su propia alma, para que de nuevo la maravillosa unidad de dos almas gemelas se vuelva una realidad en su vida.

CÓMO MANTENER LA MAGIA DEL MATRIMONIO
Autora: Monica Buonfiglio

En este texto el lector podrá descubrir cómo mantener la magia del matrimonio y aceptar el desafío de convivir con la forma de actuar, de pensar y de vivir de la otra persona.

Se necesita de mucha tolerancia y comprensión, evitando la crítica negativa.

Para lograr esta maravillosa armonía se debe aprender a disfrutar de la intimidad sin caer en la rutina, a evitar que la relación se enfríe y que, por el contrario, se fortalezca con el paso de los años.

Los signos zodiacales, los afrodisíacos y las fragancias, entre otros, le ayudarán a desarrollar su imaginación.

MARÍA, ¿QUIÉN ES ESA MUJER VESTIDA DE SOL?
Autora: Biba Arruda

La autora presenta en este libro las virtudes de la Virgen María. A través de su testimonio de fe, entrega y consagración, el lector comprenderá y practicará las enseñanzas dejadas por Jesucristo.

La obra explica cómo surgió la devoción de los diferentes nombres de María, cuáles han sido los mensajes que Ella ha dado al mundo, cómo orar y descubrir la fuerza de la oración, el poder de los Salmos y el ciclo de purificación; todo ello para ser puesto en práctica y seguir los caminos del corazón.

En esta obra, María baja de los altares para posarse en nuestros corazones. Mujer, símbolo de libertad, coraje, consagración, confianza, paciencia y compasión.

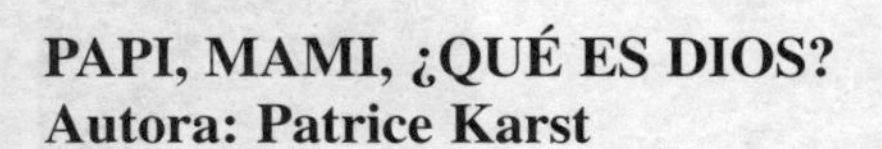

PAPI, MAMI, ¿QUÉ ES DIOS?
Autora: Patrice Karst

Papi, mami, ñqué es Dios? es un hermoso libro para dar y recibir, guardar y conservar. Un compañero sabio e ingenioso para la gente de cualquier credo religioso.

Escrito por la norteamericana Patrice Karst, en un momento de inspiración, para responderle a su hijo de siete años la pregunta que tantos padres tienen dificultad en contestar.

En pocas páginas, ella logró simplificar parte del material espíritu-religioso que existe y ponerlo al alcance de los niños, para que entiendan que a Dios tal vez no se le pueda conocer porque es un Ser infinito, pero sí sentir y estar consciente de su presencia en todas partes.

MANUAL DE PROSPERIDAD
Autor: Si-Bak

Así como se aprende a hablar, a caminar y a comer, cosas muy naturales en nuestro diario vivir, de igual forma hay que aprender a prosperar. Esto es posible para toda las personas sin disculpa alguna.

Para ello debemos intensificar la fe, la perseverancia y la práctica de un principio que nos conduzca por el camino de la prosperidad. Y es esto lo que enseña el "Manual de Prosperidad".

De manera sencilla y práctica, coloca en manos del lector reglas, conceptos y principios que le permiten encaminarse en el estudio de la prosperidad y entrar en su dinámica.

PARÁBOLAS PARA EL ALMA
"Mensajes de amor y vida"
Autora: Yadira Posso Gómez

En este libro encontrará mensajes que han sido recopilados a partir de comunicaciones logradas por regresiones hipnóticas.

La doctora Yadira Posso y su hermana Claudia, han sido elegidas para recibir mensajes de la propia voz de "El Maestro Jesús", a través de procesos de regresión en los que Él se manifiesta por medio de Claudia, quien sirve de médium.

Usted encontrará en esta obra hermosas parábolas para su crecimiento interno y desarrollo personal.

CON DIOS TODO SE PUEDE
Autor: Jim Rosemergy

¿Cuántas veces ha sentido que las puertas se le cierran y queda por fuera del banquete de la abundancia de la vida? ¿Quizás necesitaba un empleo, un préstamo, un aumento de sueldo, un cupo en el colegio o la universidad, o simplemente disponer de más dinero, tiempo, amor y no se le había dado? ¿Se ha preguntado por qué a otros sí y no a usted?

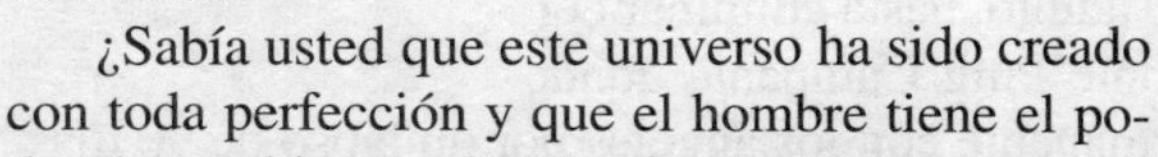

¿Sabía usted que este universo ha sido creado con toda perfección y que el hombre tiene el poder de cambiar su vida, haciendo de ésta un paraíso o un infierno?

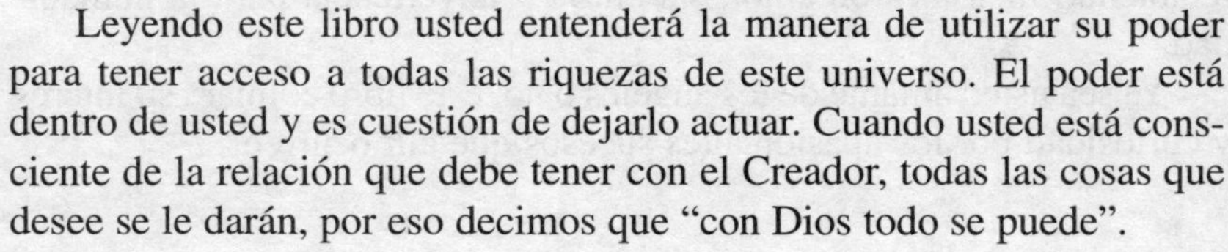

Leyendo este libro usted entenderá la manera de utilizar su poder para tener acceso a todas las riquezas de este universo. El poder está dentro de usted y es cuestión de dejarlo actuar. Cuando usted está consciente de la relación que debe tener con el Creador, todas las cosas que desee se le darán, por eso decimos que "con Dios todo se puede".

CÓMO ENCONTRAR SU PAREJA IDEAL
Autor: Russ Michael

¿Busca su pareja ideal? Si es así, este libro está hecho especialmente para usted.

Léalo y descubra la dinámica interna y externa que aflora mágicamente cuando dos seres se reconocen como almas gemelas. La pareja ideal se ama y acepta por igual sus cualidades e imperfecciones, libre de egoísmos e intereses personalistas y construye, momento a momento, día a día, una vida plena y autorrea-lizada, salvando los obstáculos inherentes al diario vivir.

Su autor, Russ Michael, le ayudará a descubrir qué y quién es usted en verdad y a quién o qué necesita para realizarse y lograr la felicidad, así como a aumentar su autoestima y magnetismo para ser una persona de éxito. Sea un espíritu libre y viva a plenitud su preciosa vida al dar y recibir amor.

MI INICIACIÓN CON LOS ÁNGELES
Autores: Toni Bennássar - Miguel Ángel L. Melgarejo

Este libro es una recopilación de los misteriosos y fascinantes encuentros que Miguel Ángel Melgarejo y un grupo de jóvenes tuvieron con ángeles en el Levante de la Península Ibérica.

El periodista Toni Bennásar resume los encuentros de Miguel Ángel, siendo aún un adolescente, y posteriormente como adulto, hasta culminar con su iniciación en el monte Puig Campana, donde estuvo en contacto permanente con los ángeles por un lapso de 90 días, recibiendo mensajes de amor, sabiduría y advertencia para la humanidad.

Ya sea usted amante de los ángeles o no, este libro colmará su interés y curiosidad por los apasionantes sucesos que allí ocurren.

CUANDO DIOS RESPONDE
¿Locura o misticismo?
Autora: Tasha Mansfield

En este libro magistral, usted conocerá la historia vivencial de la reconocida psicoterapeuta nortea-mericana Tasha Mansfield, quien, tras afrontar una inesperada y difícil enfermedad que la postró en cama por siete años, encontró la sanación física y el despertar espiritual.

Antes, durante y después de la enfermedad, una voz celestial la fue guiando para asumir actitudes correctas y adquirir la ayuda necesaria en su vida.

Tasha Mansfield comparte también una serie de ejercicios y meditaciones para expandir el nivel de conciencia, atraer paz y obtener una vida más plena y feliz.

CÓMO HABLAR CON LOS ÁNGELES
Autora: Monica Buonfiglio

En este excelente libro, su autora nos introduce en la magia de los ángeles cabalísticos, nos enseña la forma correcta de conversar con los ángeles y, en una sección de preguntas y respuestas, resuelve inquietudes relacionadas con estos seres de luz.

Usted conocerá el nexo de los ángeles con los elementales y cómo invocarlos para atraer su protección.

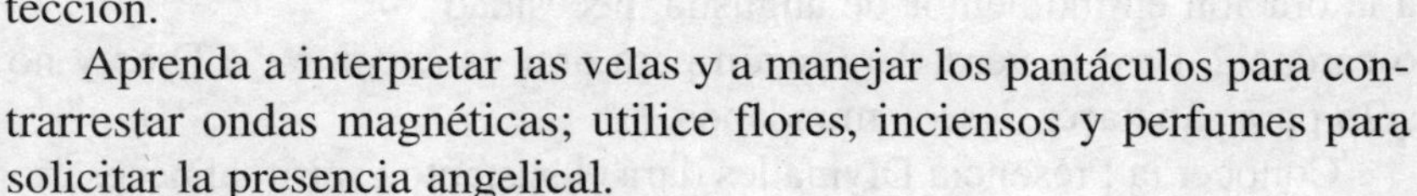

Aprenda a interpretar las velas y a manejar los pantáculos para contrarrestar ondas magnéticas; utilice flores, inciensos y perfumes para solicitar la presencia angelical.

Atraiga la sabiduría de los ángeles a su vida y enriquézcase espiritual y materialmente.

EL EMPERADOR REENCARNADO
Autor: George Vergara, M.D.

A través de esta apasionante historia, usted conocerá la vida y obra del gran emperador de Roma, Marco Aurelio, relatada después de 2.000 años por el reconocido médico cardiólogo estadounidense, George Vergara.

George cuenta cómo un día, y de una forma que bien podría llamarse casual, se enteró que había sido Marco Aurelio en otra vida. Siguiendo las huellas del emperador, George viaja a Italia, y en un "deja vu" sorprendente, revive la vida y obra de quien fuera uno de los más grandes líderes del mundo. Misteriosamente, y de forma concatenada, una serie de extraños sucesos le dan indicios de que es el alma encarnada del emperador.

El doctor Vergara comprende que Dios, en su infinita misericordia, le ha permitido correr el velo y conocer parte de su recorrido como alma, para construir una vida de amor y servicio a la humanidad.

CON DIOS TODO SE PUEDE 2
Autor: Jim Rosemergy

En Con Dios todo se puede 2, aquellos que deseen encontrar a Dios de una manera más personal, hallarán los pasos para establecer una relación más duradera y satisfactoria.

Mediante la oración, y una nueva comprensión del propósito de la oración, la humanidad entró al nuevo milenio desfrutando de una relación más cercana con Dios. Lo común es que la gente acuda a la oración en momentos de angustia, necesidad o carencia, pero la verdadera razón para orar es encontrar a Dios y no sólo para satisfacer deseos mundanos.

Conocer la Presencia Divina les dará el sustento espiritual necesario a quienes se encuentran en su senda.

CLAVES PARA ATRAER SU ALMA GEMELA
Autor: Russ Michael

En esta obra, Russ Michael nos presenta nuevos conceptos e ideas para atraer a su alma gemela, partiendo de la perspectiva de un universo vibratorio: todo vibra sin excepción en este mundo.

Su autor revela cómo todos estamos inmersos y rodeados de un vasto campo vibratorio universal; cómo cualquiera que lo desee puede utilizar las técnicas recomendadas en este libro para conseguir a su alma gemela, su homólogo desde el punto de vista vibratorio, la cual encaja perfectamente con su pareja espiritual, por ser imagen y reflejo exacto de ella. Explica cómo cada uno de nosotros, sin excepción, hace resonar un tono muy personal y único, o nota vibratoria.

¡Naturalmente, su alma gemela también dispone de una nota propia y única!

FENG SHUI AL ALCANCE DE TODOS
Autora: Clara Emilia Ruiz C.

El Feng Shui es una técnica que plantea una serie de principios básicos con el objeto de armonizar al ser a través de cambios en el ambiente que lo rodea.

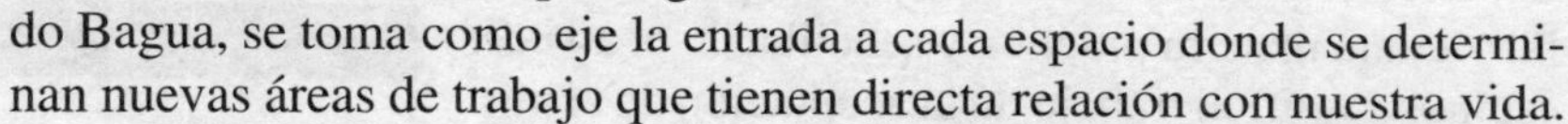

Con el uso de un mapa de guía llamado Bagua, se toma como eje la entrada a cada espacio donde se determinan nuevas áreas de trabajo que tienen directa relación con nuestra vida.

A través del Feng Shui se determinan las áreas de un terreno adecuadas para seleccionar un lote y la correcta ubicación de la casa o edificio dentro del lote. Igualmente, en el interior de la casa, las formas, proporciones e interrrelación entre espacios má convenientes para el correcto fluir del ser humano en la vida, atrayendo así bienestar, salud y prosperidad.

UN VIAJE AL PLANETA DE CRISTAL
Autor: Cristovão Brilho

Es un bello cuento con hermosas ilustraciones para ser coloreadas por los niños.

Narra la historia de siete niños, quienes gracias al poder de su imaginación creativa se trasladan al Planeta de Cristal guiados por Cristalvihno, un amoroso personaje oriundo de ese planeta, quien en un excitante y maravilloso viaje les explica el valor terapéutico de los cristales y cómo utilizarlos sabiamente según su color.

Historia original de Cristovão Brilho, reconocido sanador brasilero y autor del libro El poder sanador de los cristales.

EL PODER DE ACEPTARSE A SÍ MISMO Y A LOS DEMÁS
Autor: Jim Rosemergy

En esta obra, las personas que se hallan en proceso de autoconocerse, las que se encuentran en crisis de personalidad, las que buscan desarrollo espiritual y personal o el simple lector desprevenido, encontrarán una serie de pautas para desarrollar de una manera práctica y sencilla, en el a veces espinoso y difícil trabajo de la aceptación de sí mismo, de los demás, de la vida y del entorno que nos rodea.

Jim nos muestra la importancia de aprender a aceptar nuestra parte humana, con sus virtudes y cualidades, flaquezas y debilidades, para llegar así a conocer el maravilloso ser espiritual que realmente somos.

Un libro que se convertirá en su mejor amigo y consejero de cabecera. Imparcial y desinteresado, lleno de amor y profunda sabiduría.

EL PODER SANADOR DE LOS CRISTALES
Autor: Cristovão Brilho

Un libro donde su autor habla de manera sencilla y clara sobre los chacras o centros de energía y el uso terapéutico de los cristales a través de ellos. Cómo llevar los cristales, cómo lograr la cura en los demás y en uno mismo, cómo aprovechar su energía, cómo programarlos y cómo utilizarlos cotidianamente.

El mundo de la piedras es encantador y fascinante. Lleva a la persona o "buscador", de una etapa de aprendizaje a un plano científico, a través del descubrimiento de algo que puede relatar la cronología de la Tierra, los eventos y la historia de la evolución del hombre.

365 MANERAS DE SER MULTIMILLONARIO
Autor: Brian Koslow

El mundo de los negocios está cambiando; también los secretos para el éxito. En este libro, guía esencial, tanto para los funcionarios de alto rango como para el empleado común, el asesor comercial, Brian Koslow, comparte las estrategias y discernimiento únicos que lo hicieron millonario a los 33 años. He aquí algunos de los consejos que encontrará en este libro:

- Si no trabaja en la actividad que le gusta, es probable que esté realizando el trabajo equivocado.
- Escuche el 85% del tiempo; hable el 15%.
- Fíjese un ideal, filosofía o razón que lo mantenga despierto todo el tiempo.
- Perderá poder personal en el presente, si no tiene una visión clara del futuro.
- Delegue siempre las actividades que requieren menos experiencia de la que usted tiene.
- Cuando más le diga a la gente lo capaz que es, más capaz será.
- Olvídese de la lotería. Apuéstele a usted mismo.

LA TERAPIA DEL ESPEJO MENTAL
Autor: Russ Michael

La más antigua técnica para obtener salud, bienestar y prosperidad.

En esta obra aprenderemos cómo, gracias al principio universal del espejo, el mundo en el que vivimos es un espejo que refleja con exactitud nuestra realidad interior. Si deseamos conocernos tal como somos, es suficiente con observar el entorno: el nuestro y el de los seres que nos rodean, así como las circunstancias de la vida que nos dicen quiénes somos.

La terapia del espejo mental, recrea, analiza y explica a profundidad esta antiquí-sima técnica utilizada por los sabios de la antigüedad y reconfirmada por los científicos de hoy. Con fe, creatividad y autodisciplina, nos liberaremos de la carga negativa, para disfrutar así de la vida que realmente deseamos.

NADIE ES DE NADIE
Autora: Zibia Gasparetto

Esta historia, de la escritora brasileña Zibia Gasparetto, nos hará reflexionar sobre el falso y el verdadero amor, enseñándonos que la vida afectiva es un constante ejercicio de autodominio.

Best Seller en Brasil, ahora traducido al español, la novela *Nadie es de nadie*, relata la historia de los conflictos de un matrimonio en el tiempo actual.

El drama vivido por los personajes afecta todo su entorno debido a los celos enceguecedores de algunos de ellos que piensan equivocadamente que sentir celos es demostrar que se ama ardientemente, hasta que descubren cómo éstos transforman su vida amorosa en una dolorosa tragedia.

Y surge un interrogante: ¿no será pasión lo que llamamos amor?

Al final descubriremos que sólo nos tenemos a nosostros mismos, pues *nadie es de nadie.*

REIKI Y PROSPERIDAD
Autor: Si-Bak

En esta obra su autor: Si-Bak, enseña una novedosa e interesante manera de aplicar el REIKI, no sólo con fines terapéuticos, sino también como un medio de atraer prosperidad en las diferentes áreas de la vida.

REIKI, es un método de curación energética sencillo de aprender y de practicar. Es fácil observar los resultados en poco tiempo y no presenta contraindicaciones que puedan alterar la estabilidad de una persona. Al contrario, proporciona armonía, mejora el nivel de autoestima y activa bioenergéticamente el sistema mente-cuerpo.

En este libro se enseña al lector la forma de sanar la economía por medio del REIKI. Los principios de la prosperidad son potencializados por medio de símbolos que aumentan las posibilidades de obtener mejores beneficios financieros, sanar todo tipo de estancamiento y despertar a una mayor conciencia de producción.

